M000287060

# Chicos Chicas

## Libro del alumno
## nivel 3

### Mª Ángeles Palomino

## edelsa
### GRUPO DIDASCALIA, S.A.
Plaza Ciudad de Salta, 3 - 28043 MADRID - (ESPAÑA)
TEL.: (34) 914.165.511 - (34) 915.106.710
FAX: (34) 914.165.411
e-mail: edelsa@edelsa.es - www.edelsa.es

Primera edición: 2003


@ Edelsa Grupo Didascalia, S.A. Madrid, 2003
  Autora: Mª Ángeles Palomino.


Dirección y coordinación editorial: Departamento de Edición de Edelsa.
Diseño de cubierta, maquetación y fotocomposición: Departamento de Imagen de Edelsa.


Imprime y encuaderna: Egedsa.

ISBN: 84-7711-792-6
Depósito legal: B-23214-2003
Impreso en España
Printed in Spain


**Fuentes, créditos y agradecimientos**

Ilustraciones:
Ángeles Peinador Arbiza.

Fotografías:
Archivo y Departamento de Imagen de Edelsa.
Author's Image.
Flat Earth.




Notas:

-La editorial Edelsa ha solicitado los permisos de reproducción correspondientes y da las gracias a quienes han prestado su colaboración.

# Chicos Chicas

Un curso para adolescentes, ambientado en una gran variedad de situaciones cercanas a la realidad y a los intereses de los jóvenes.

El nivel 3 de **Chicos-Chicas** sigue los mismos principios metodológicos y didácticos que el nivel 1 y 2, ya que se basa en las indicaciones del documento de reflexión para la adquisición de las lenguas: el "**Marco de referencia europeo**".

La temática, las actividades y las estrategias han sido elegidas y diseñadas para amoldarse a la sensibilidad de los jóvenes.

La estructura y secuenciación del nivel 3 cambia con respecto al nivel 1 y 2 para garantizar un aprendizaje dinámico que responda al crecimiento del adolescente.

**Estructura:** Chicos Chicas se compone de **8 unidades**, agrupadas en **4 ámbitos** que se corresponden con los ámbitos de actuación del "**Marco de referencia**", a saber: el personal, el escolar, el público y el profesional. Cada ámbito se cierra con una **tarea final**.

**Secuenciación de un ámbito:**
- 1ª unidad:
  - una página de contenidos;
  - dos lecciones a doble página;
  - dos páginas de consolidación y ampliación de contenidos;
  - una página de "Proyecto" con integración de destrezas;
  - una página de lectura y comentario de textos: "Con & texto";
  - una página de iniciación a las nuevas tecnologías con "Chic@s en la red";
  - una página de acercamiento a la realidad hispanohablante con "Un mundo en tu mochila";
  - una página de Ficha resumen de los contenidos comunicativos, gramaticales y léxicos estudiados en la unidad.
- 2ª unidad:
  - una página de contenidos;
  - dos lecciones a doble página;
  - dos páginas de consolidación y ampliación de contenidos;
  - una página de "Proyecto" con integración de destrezas;
  - una página de iniciación a las nuevas tecnologías con "Chic@s en la red";
  - una tarea final que cierra el ámbito;
  - una página de Ficha resumen de los contenidos comunicativos, gramaticales y léxicos estudiados en la unidad.

La propuesta didáctica consolida los conocimientos y las destrezas necesarias para la competencia comunicativa propia de este nivel.

| Unidad Puente | **Ámbito 1 Personal** Pág. 10 | | **Ámbito 2 Escolar** Pág. 34 | |
|---|---|---|---|---|
| | **Unidad 1**<br>**Lección 1**<br>¿Sabes cómo eres?<br>**Lección 2**<br>Los jóvenes de hoy | **Unidad 2**<br>**Lección 3**<br>La música del siglo XXI<br>**Lección 4**<br>Relaciones familiares | **Unidad 3**<br>**Lección 5**<br>Una excursión del instituto<br>**Lección 6**<br>El Día de la Tierra | **Unidad 4**<br>**Lección 7**<br>Ciudadano del Mundo<br>**Lección 8**<br>Intercambio cultural |

**Repasamos:**
13 fichas de revisión de contenidos del nivel anterior

**Competencias pragmáticas:**
- Describir el carácter
- Justificar una idea
- Hablar de los demás
- Manifestar interés, preocupación, etc.
- Expresar reacciones y sentimientos • Contar los sueños y deseos
- Dar la opinión

**Competencias pragmáticas:**
- Realizar una entrevista
- Indicar gustos e intereses • Expresar deseos de difícil realización
- Formular preguntas indirectas • Hablar de las relaciones familiares • Contar un problema • Solicitar y dar consejo • Pedir favores formalmente • Hacer propuestas, sugerir

**Competencias pragmáticas:**
- Hablar de la naturaleza • Describir lugares
- Relacionar acontecimientos • Comparar
- Responder con diferentes grados de seguridad • Expresar ignorancia • Mostrar acuerdo o desacuerdo
- Hacer recomendaciones • Explicar problemas y proponer soluciones

**Competencias pragmáticas:**
- Expresar los intereses
- Describir una tarea
- Indicar cómo tiene que ser algo o alguien
- Hablar de intercambios • Valorar una experiencia pasada
- Transmitir informaciones y preguntas

**Competencia gramatical:**
- Los pronombres personales • Los adjetivos y pronombres demostrativos • El superlativo
- Los adjetivos y pronombres posesivos • El Imperativo • El Futuro
- El Imperfecto de Indicativo

**Competencia gramatical:**
- Usos de los verbos *ser* y *estar* • Verbos de sentimiento *(interesar, preocupar, alegrar...)* con Infinitivo y sustantivos • La oración causal con *es que* • Verbos de deseo con Infinitivo y sustantivos • La oración concesiva con *aunque* y *sin embargo*

**Competencia gramatical:**
- Preguntas indirectas
- Forma y usos del Condicional
- Expresiones de deseo en Condicional
- Verbos que muestran las relaciones entre las personas *(llevarse bien / mal, caer bien / mal, etc.)*

**Competencia gramatical:**
- Los pronombres relativos con y sin preposición • Los comparativos y superlativos • La oración condicional real
- Verbos de obligación, necesidad y posibilidad con Infinitivo

**Competencia gramatical:**
- El pronombre *lo*
- Los pronombres y adjetivos indefinidos
- El estilo indirecto en pasado con Indicativo
- Las interrogativas indirectas • El Pluscuamperfecto
- Uso de los tiempos del pasado

**Competencia léxica:**
- Los alimentos • La ciudad, comercios y edificios públicos • Los números • El cuerpo humano • La casa, habitaciones y muebles • La ropa

**Competencia léxica:**
- Adjetivos para describir el carácter • Verbos de sentimiento

**Competencia léxica:**
- Estilos musicales
- Verbos y expresiones para valorar personas
- Secciones de un periódico

**Competencia léxica:**
- Paisajes naturales
- Ecología y naturaleza

**Competencia léxica:**
- Intereses turísticos
- Valoraciones

**Competencias generales:**
- Acercamiento a las Nuevas Tecnologías
- El conocimiento del Mundo Hispano: Puerto Rico

**Competencias generales:**
- Acercamiento a las Nuevas Tecnologías

**Competencias generales:**
- Acercamiento a las Nuevas Tecnologías
- El conocimiento del Mundo Hispano: Nicaragua

**Competencias generales:**
- Acercamiento a las Nuevas Tecnologías

---

**TAREA FINAL**
**Describir el carácter**

**TAREA FINAL**
**Escribir una redacción sobre un tema**

## LOS ALIMENTOS

Marca con una cruz de qué alimento se trata.

| | Fruta | Verdura | Lácteos | Pescado | Carne |
|---|---|---|---|---|---|
| manzana _apple_ | ✓ | | | | |
| guisantes | | ✓ | | | |
| salchichón | | | | | ✓ |
| leche | | | ✓ | | |
| zanahoria | | ✓ | | | ✓ |
| pimiento | ✓ | ✓ | | | |
| merluza | | | | ✓ | |
| cerdo | | | | | ✓ |
| cebolla | | ✓ | | | |
| mantequilla _butter_ | | | ✓ | | |
| naranja | ✓ | | | | |
| jamón | | | | | ✓ |
| queso | | | ✓ | | |
| plátano | ✓ | | | | |
| pollo | | | | | ✓ |
| patatas | | ✓ | | | |
| pera | ✓ | | | | |
| salmón | | | | ✓ | |
| atún | | | | ✓ | |
| yogur | | | ✓ | | |

## LA CIUDAD

¿En qué tiendas puedes comprar estos productos? Relaciona.

- un sello
- aspirinas
- un kilo de naranjas
- unos vaqueros
- una barra de pan
- un periódico
- una tarta de fresas
- medio kilo de chuletas de cordero
- un kilo de merluza

- un quiosco
- una frutería
- una pescadería
- una carnicería
- Correos
- una pastelería
- una panadería
- una tienda de ropa
- una farmacia

# Vocabulario

Escribe estos números con letras.

| 3.684 | *tres mil seiscientos ochenta y cuatro* | 8.907 | *ocho mil novecientos siete* | 2.005 | *dos mil cinco* |
|---|---|---|---|---|---|
| 5.772 | *cinco mil setecientos setenta y dos* | 19.085 | *diecinueve mil ochenta y cinco* | 25.502 | *veinticinco mil quinientos dos* |

## EL CUERPO

Escribe el nombre de las partes del cuerpo.

la mano ✓    la rodilla ✓
el pie ✓     el cuello ✓
la cabeza ✓  el hombro ✓
la pierna ✓  el codo ✓
la oreja ✓   el ojo ✓
el dedo ✓    el estómago
el pecho ✓

## LA CASA

Completa el esquema con las palabras de la lista.

el despertador   el lavabo   el armario   el fregadero   el horno   la mesilla
la nevera   el sofá   la mesa   el váter   la cama   la ducha   el sillón
la silla   el espejo   la alfombra   la tele

| la cocina | la habitación | el cuarto de baño | el salón | el comedor |
|---|---|---|---|---|
| Fregadero | el despertador | la ducha | la tele | la mesa |
| nevera | el armario. | el váter | el sofá | silla |
| el horno | la cama | lavabo. | sillón. | |
| | la mesilla | espejo | la alfombra | |

## LA ROPA

Viste a estos tres amigos.

- Elena va a una fiesta de cumpleaños:     *Elena lleva un vestido y...* los vaqueros y unas
- José va a jugar al fútbol: cortos.
- Raquel va a pasear al campo: los vaqueros

## LOS PRONOMBRES PERSONALES

Transforma las frases como en el modelo.

Voy a leer el libro. — *Voy a leerlo. / Lo voy a leer.*
Vamos a escuchar los CD. — *vamos a escucharlos/los vamos a escuchar.*
Estamos viendo la película. — *Estamos viéndola/la estamos viendo*
¿Puedes abrir las ventanas? — *Puedes abrirlas/las puedes abrir*
Quieren comprar una postal. — *quieren comprarla/la quieren comprar*

Transforma las frases. Usa dos pronombres.

Presto mi CD a Pablo. — *Se lo presto.*
Das los libros a tus hermanos. — *Se los das*
Enviamos un *e-mail* a Elena. — *Se lo enviamos.*
Enseño mi habitación a mis amigas. — *Se la enseño*
Devuelves el libro a Pedro. — *Se lo devuelves*

## LOS DEMOSTRATIVOS

¿Dónde está(n)?

| | | |
|---|---|---|
| este libro | **AQUÍ** | esta bicicleta |
| aquellos chicos | **AHÍ** | esos coches |
| esas casas | **ALLÍ** | esa chica |

## EL SUPERLATIVO

Transforma las frases según el modelo.

Esta falda es muy cara. — *Es carísima.*
Estas películas son muy interesantes. — *Interesantísimas*
Lola es muy simpática. — *Simpatiquísima*
El ejercicio de matemáticas es muy fácil. — *facilísimo*
El libro es muy largo. — *larguísimo*

## LOS POSESIVOS

Contesta con posesivos.

| | | |
|---|---|---|
| ¿De quién es el libro? | YO | *Es mío. / Es el mío.* |
| ¿De quién es la chaqueta? | PEDRO | *es mía es la mía* |
| ¿De quién son los CD? | ALICIA | *el suyo es la suya* |
| ¿De quién son estos lápices? | TÚ | *son tuyos/son los tuyos* |
| ¿De quién es esta casa? | NOSOTROS | *es nuestra es la nuestra* |

# Gramática y verbos

## EL IMPERATIVO

Completa los cuadros.

| Imperativo afirmativo | Imperativo negativo | Imperativo afirmativo | Imperativo negativo |
|---|---|---|---|
| haz | *no hagas* | cierre | no cerras |
| ven | no venga | diga | no diga |
| pida | no pida | ve | no vayas |
| ponga | no ponga | escribamos | no escribamos |

## EL FUTURO

Localiza las formas en la sopa de letras.

tener, yo          comer, nosotros
poder, tú          ir, yo
escribir, tú       poner, usted
ser, yo            salir, usted
hacer, ellos       hablar, nosotros
decir, ellos       venir, tú

| T | E | N | D | R | É | K | A | J | V | A | E |
|---|---|---|---|---|---|---|---|---|---|---|---|
| A | A | P | O | N | D | R | Á | Ñ | E | A | S |
| I | J | Y | N | M | Y | Ñ | B | Y | N | S | C |
| R | A | S | E | R | É | A | A | Y | D | A | R |
| É | D | A | S | F | A | G | N | J | R | L | I |
| A | P | O | D | R | Á | S | V | Ñ | Á | D | B |
| A | D | D | I | R | Á | N | A | A | S | R | I |
| C | O | M | E | R | E | M | O | S | A | A | R |
| M | A | F | H | A | R | Á | N | L | O | A | Á |
| H | A | B | L | A | R | É | M | O | S | A | S |

## EL IMPERFECTO

Conjuga los verbos en Imperfecto y completa el crucigrama.

1. escuchar, tú
2. vivir, usted
3. mirar, yo
4. tener, nosotros
5. ir, tú
6. volver, nosotros
7. estar, ellos
8. ser, nosotros
9. dar, nosotros
10. leer, tú
11. hacer, ellas
12. ver, él

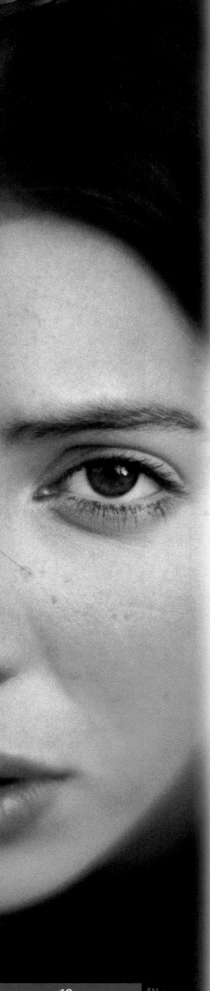

# Ámbito 1
# Personal

### 1. OBJETIVO:
En estas dos unidades vas a aprender a hablar de ti mismo, de cómo eres, de tus relaciones con los demás, de tus gustos y aficiones y de tus deseos y sueños.

### 2. PREPARACIÓN:
Antes de empezar, piensa en todo el vocabulario y todas las expresiones que ya conoces sobre el tema:

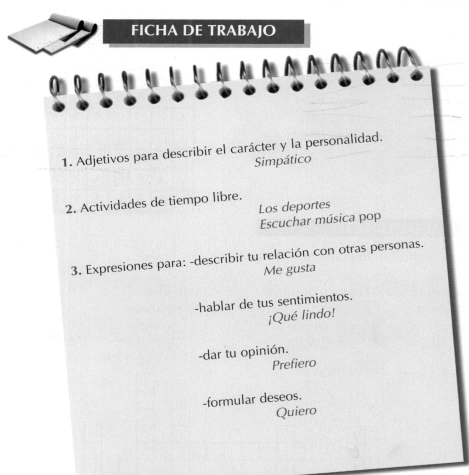

**FICHA DE TRABAJO**

1. Adjetivos para describir el carácter y la personalidad.
*Simpático*

2. Actividades de tiempo libre.
*Los deportes*
*Escuchar música* pop

3. Expresiones para: -describir tu relación con otras personas.
*Me gusta*

-hablar de tus sentimientos.
*¡Qué lindo!*

-dar tu opinión.
*Prefiero*

-formular deseos.
*Quiero*

### 3. TAREA:
Después de las dos unidades realizarás una redacción para explicar cómo eres. La puedes mandar a chicos-chicas@edelsa.es y participar en un concurso: se publicarán las mejores. Así tal vez puedas conocer a chicos de otros países.

1

unidad

# Contenidos

## COMUNICACIÓN

- Describir el carácter.
- Justificar una idea.
- Hablar de los demás.
- Manifestar interés, preocupación, etc.
- Expresar reacciones y sentimientos.
- Contar sueños y deseos.
- Dar la opinión.

## GRAMÁTICA

- Usos de los verbos *ser* y *estar*.
- Verbos de sentimiento *(interesar, preocupar, alegrar...)*.
- La oración causal con *es que*.
- Verbos de deseo.
- La oración concesiva con *aunque* y *sin embargo*.

## VOCABULARIO

- Adjetivos para describir el carácter.
- Verbos de sentimiento.

## PROYECTO

- Un informe sobre la clase.

## LECTURAS

- Chic@s en la red: en un *chat* sobre la amistad.
- El mundo en tu mochila: Puerto Rico.
- Con & texto: un cuento breve de Borges.

# ¿Sabes cómo eres?

**1.**  ¿Cómo eres? Razona tu respuesta.

Divertido

RESPONSABLE

Romántico

Generoso

ORGULLOSO

Tranquilo

Es que yo soy...
Aunque parezco..., en realidad soy...
Parezco..., sin embargo soy...

**2.** a. Lee este test, responde a las preguntas y mira las soluciones. ¿Cómo eres? ¿Estás de acuerdo?

## ¿Eres independiente?

**1. Estás buscando una dirección en una ciudad muy grande y te pierdes.**
   a. Consultas el mapa y encuentras el sitio tú mismo.
   b. Preguntas a un policía.
   c. Te pones nervioso.

**2. ¿Cómo es tu pareja ideal?**
   a. Una persona aventurera y amante de los viajes.
   b. Es muy romántica y siempre se ocupa de ti.
   c. Debe tener mucha iniciativa.

**3. Un domingo te levantas antes que tus padres y tienes mucha hambre.**
   a. Te preparas un desayuno completo.
   b. Despiertas a tus padres y les pides el desayuno.
   c. Tomas un vaso de leche y unas galletas.

**4. Cuando vas de excursión o de viaje, ¿quién te prepara la mochila?**
   a. Tú mismo.
   b. Tu madre.
   c. Entre los dos.

**5. Cuando tienes un problema...**
   a. Buscas tú la solución.
   b. Pides ayuda a tus amigos.
   c. Primero buscas la solución y, si no la encuentras, hablas con tus padres.

**SOLUCIONES:**
**a. Mayoría de respuestas A:** eres independiente y maduro. Tienes confianza en ti mismo y sabes lo que quieres. Puedes salir de muchos problemas tú solo.
**b. Mayoría de respuestas B:** aunque necesitas mucho a los demás, eres muy independiente.
**c. Mayoría de respuestas C:** no eres totalmente independiente. Todavía no te sientes seguro en todo lo que haces, pero es lógico, teniendo en cuenta tu edad.

**b. Matilde le está haciendo el test a Rubén. Escucha el diálogo y toma notas de las respuestas. ¿Cómo es Rubén?**

¿Eres independiente?

Yo creo que sí.

1. b
2. a
3. a
4. a
5. c
a ///
b /
c /

**3.** **a. Recuerda y aprende.**

| SER | ESTAR |
|---|---|
| Describir personas: <br> - Por su carácter. <br> - Por su nacionalidad y origen. | - Hablar de estados físicos y emocionales. <br> - Localizar en el espacio. <br> - *Estar* + Gerundio. |

Algunos adjetivos cambian de significado si se utilizan con ser o con estar.

| | | |
|---|---|---|
| **Ser inteligente** <br> *José es muy listo.* | = Listo = | **Estar preparado** <br> *¿Ya estás listo?* |
| **Tener mucho dinero** <br> *Mi tío es muy rico.* | = Rico = | **Estar deliciosa una comida** <br> *Este pastel está muy rico.* |
| **Tener mal carácter** <br> *Fredy Kruger es malo.* | = Malo = | **Tener mal sabor** <br> *Esta comida está muy mala.* |
| **No gustar** <br> *Este libro es muy aburrido, no lo leas.* | = Aburrido = | **No divertirse** <br> *Alicia está aburrida.* |
| **Ser tolerante** <br> *Sara es muy abierta.* | = Abierto = | **No estar cerrado** <br> *La puerta está abierta. Ciérrala.* |
| **Ser de color blanco** <br> *Mi moto es blanca.* | = Blanco = | **Estar pálido** <br> *Alicia está blanca. ¿Qué le pasa?* |

**b. Completa con ser o estar en la forma correcta.**

Soy sois
Estoy estamos eres son
es
Estoy estáis somos
Está están

- Creo que ya podemos irnos. Todos ___estamos___ listos.
- Toma un poco de sopa, ___está___ muy rica.
- - ¿ ___estás___ aburrida? Si quieres vamos al cine, ponen una película policíaca.
  - Es que no me gustan esas películas, ___son___ aburridísimas.
- - ¡ ___estás___ muy blanca! ¿Qué te pasa? ¿ ___estás___ enferma?
  - Sí, y ___estoy___ muy cansada, también.
- Irene ___está___ en su habitación. ___está___ escuchando música.

# Los jóvenes de hoy

**1.** Lee estos titulares sobre los jóvenes del siglo XXI. ¿Estás de acuerdo?

Los jóvenes, cada vez más independientes y despreocupados.

Los jóvenes del siglo XXI, menos políticos y más ecológicos.

No les interesa nada.

Únicas preocupaciones: el dinero y el amor.

| EXPRESAR LA OPINIÓN | ACUERDO | DESACUERDO |
|---|---|---|
| • Yo creo/pienso/opino que... <br> • A mí, me parece que... <br> • Estoy convencido de que... | • Estoy de acuerdo con... <br> • Es verdad / cierto. <br> • Opino lo mismo. | • No estoy de acuerdo con... <br> • Creo que no es verdad. <br> • Es falso / No es cierto. |

**2.** Matilde y Rubén están contestando a unas preguntas sobre sus intereses. Escucha la conversación y marca las respuestas.

¿QUÉ LES INTERESA?
El deporte ☑
La música ☐
El cine ☐
Las motos ☑
La naturaleza ☑
Los videojuegos ☐
La política ☐
La moda ☐
La ciencia ☑
Los extraterrestres ☐
La religión ☐

¿QUÉ LES PREOCUPA?
La violencia ☐
El medio ambiente ☑
El paro ☐
La investigación genética ☑
El futuro ☐
La injusticia ☐

¿CUÁLES SON SUS SUEÑOS PARA EL FUTURO?
Tener un trabajo interesante ☑
Viajar ☐
Conocer personas interesantes ☐
Ganar mucho dinero ☐
Vivir en otro país ☑
Jugar en un equipo profesional ☐

## 3.

**a. Observa.**

| EXPRESAR SENTIMIENTOS | | |
|---|---|---|
| Me pone triste/nervioso(a)<br>Me da **miedo**/**pena** +<br>Me interesa/preocupa/molesta<br>Me divierte<br>No soporto | Singular<br>Infinitivo | el deporte/la naturaleza.<br>viajar/leer novelas.<br>vivir en el campo. |
| Me ponen triste/nervioso(a)<br>Me dan **miedo** /**pena** +<br>Me interesan/preocupan/molestan<br>Me divierten<br>No soporto | Plural | los viajes/las películas<br>de terror. |

**b. Relaciona. Forma el máximo número de frases.**

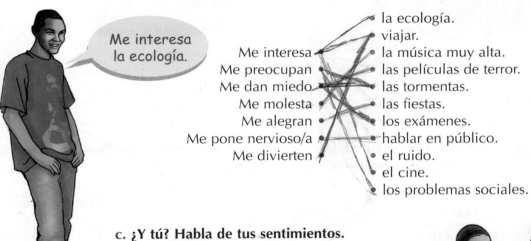

Me interesa
la ecología.

| | |
|---|---|
| Me interesa | la ecología. |
| Me preocupan | viajar. |
| Me dan miedo | la música muy alta. |
| Me molesta | las películas de terror. |
| Me alegran | las tormentas. |
| Me pone nervioso/a | las fiestas. |
| Me divierten | los exámenes. |
| | hablar en público. |
| | el ruido. |
| | el cine. |
| | los problemas sociales. |

**c. ¿Y tú? Habla de tus sentimientos.**

A mí me molesta
mucho el ruido cuando
estoy estudiando.

## 4.

**a. Aquí tienes algunas de las palabras y expresiones que usan Matilde y Rubén en sus respuestas. ¿Quién las dice? Escucha de nuevo la entrevista y marca las casillas.**

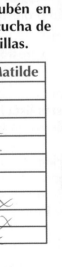

|  | Rubén | Matilde |
|---|---|---|
| • A mí me gustan mucho... | X | |
| • Me interesa... | X | |
| • Me encanta... | | X |
| • Me divierte... | | X |
| • ¿Que qué me preocupa? Pues... | X | |
| • Me molesta mucho lo que... | X | |
| • No soporto... | | X |
| • Me preocupa... | | X |
| • Me da miedo... | | X |

**b. Haz la encuesta a tu compañero y anota sus respuestas.**

**1.** **a. Para ti estos adjetivos, ¿son positivos o negativos? Clasifícalos.**

Simpático(a), tímido(a), callado(a), goloso(a), tranquilo(a), travieso(a), cariñoso(a), tonto(a), generoso(a), gracioso(a), abierto(a), vago(a), orgulloso(a), testarudo(a), nervioso(a), sincero(a), aburrido(a), atento(a), envidioso(a), educado(a), desordenado(a), serio(a), mentiroso(a), tacaño(a), alegre, inteligente, sociable, paciente, egoísta, bromista, parlanchín(ina), trabajador(a).

Positivo

Negativo

**b. Escribe cuatro adjetivos y sus contrarios.**

*Ordenado / Desordenado* ═══════ ═══════ ═══════ ═══════

 **2.** **Isabel es una joven adolescente. Cinco personas la describen. Escucha y toma nota de los adjetivos que utiliza cada uno.**

Nunca comparte sus cosas y está todo el día hablando por teléfono con Matilde.

Su hermano

Isabel siempre saca buenas notas.

Su profesor

Soy su mejor amiga.

No hace nada en casa.

Matilde

Soy su ex-novio.

Borja

Su madre

 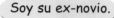  

**3.** **¿Qué significan las expresiones en negrita? Relaciona.**

1. Este niño es **muy malo**: nunca hace lo que le dices.
2. Nos marchamos: si no **estás lista** te quedas en casa.
3. El supermercado **está abierto** hasta las 21:00.
4. La nieve **es blanca**.
5. La película **es muy aburrida**: no tiene nada de acción.
6. Ha sido una cena estupenda. Todo **estaba riquísimo**.
7. Hoy **estoy aburrido**, no sé que hacer.
8. No se encuentra bien: **está muy blanco**.
9. ¡**Qué listo es**! Se lo aprende todo a la primera.
10. Tus padres **son muy abiertos**, casi nunca se enfadan.
11. ¡**Qué mala está** la sopa! No tiene sabor.
12. Le tocó la lotería y ahora **es muy rico**.

a. Estar pálido
b. Tener mucho dinero
c. No divertirse
d. Ser tolerante
e. Estar delicioso (comida)
f. No gustar
g. Estar preparado
h. Tener mal sabor
i. Tener mal carácter
j. No estar cerrado
k. Ser de color blanco
l. Ser inteligente

**4.** ¿Es posible la amistad entre un chico y una chica?
   **a.** Lee las respuestas de estos adolescentes.

> **Raquel:** Yo prefiero estar con mis amigas. Creo que un chico no puede entender los problemas de una chica, porque los chicos y las chicas son muy diferentes.

> **Patricia:** Bueno... Es difícil, pero no imposible. Yo tengo siete amigas, pero no tengo amigos, sólo tengo compañeros de instituto. Pero pienso que si un chico es sincero, simpático y generoso, y sabe guardar los secretos, podrá ser mi amigo, igual que una chica. Mi mejor amiga es una chica, se llama Paulina, somos amigas de la infancia.

> **Miguel:** Tengo amigos y amigas también. Somos una pandilla y nos reunimos todos los fines de semana para hacer deporte, pasear, escuchar música, ir al cine... Nos gusta estar juntos.

> **Borja:** En el instituto tengo muchos amigos y amigas. Pero los fines de semana prefiero salir con mis amigos.

> **Sonia:** A mí me gusta hablar con todo el mundo, chicos y chicas. Mi mejor amigo es un chico, nos conocimos en un *chat* y hablamos de muchas cosas. Sé que siempre puedo contar con él. Tenemos casi los mismos gustos.

> **Javier:** Bueno, creo que depende del carácter de las personas. Si compartes las mismas aficiones que una chica, o si tienes las mismas ideas, puede ser tu amiga.

   **b.** ¿Con quién estás de acuerdo? Razona tu opinión.

**5.** Tus intereses
   **a.** Relaciona las palabras con la ilustración correspondiente. ¿Se te ocurren más?

*Viajes*

*Deporte*

contaminado • viajar • entrenamiento • cazar • basura • desconectar • vida sana
medio ambiente • ecología • entrenarse • gastronomía • deportista • visitar
peligro de extinción • fotografías • contaminar • sano • naturaleza • practicar • cultura
residuos • paisajes • salud • lucha • polución • proteger • estar en forma • relajado

*Contaminación*

*Animales*

   **b.** De los temas anteriores, ¿cuáles te interesan más?, ¿cuáles te preocupan?, ¿cuáles te dan miedo? Razona tus respuestas.

# Proyecto

## Un informe sobre la clase

**1.** Mira los resultados de esta encuesta sobre las preocupaciones y aspiraciones de los jóvenes y haz un pequeño informe de los datos:

### FRASES ÚTILES

Según los resultados de la encuesta...
Al...% de los jóvenes les preocupa / interesa...
... es una de sus principales aspiraciones.
Un...% opina / considera que... es muy importante.
La mayor preocupación es...
En segundo lugar, ...
Y, para finalizar, el punto de menos interés es...

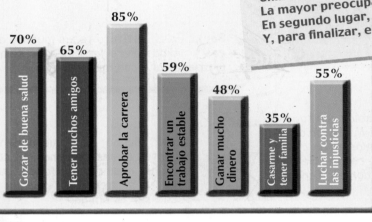

- 70% Gozar de buena salud
- 65% Tener muchos amigos
- 85% Aprobar la carrera
- 59% Encontrar un trabajo estable
- 48% Ganar mucho dinero
- 35% Casarme y tener familia
- 55% Luchar contra las injusticias

Adaptado de cis.es/boletin/19/

**2.** Y tú, ¿qué opinas?

Yo creo que es verdad que...
Yo no estoy de acuerdo con... Creo que...
A mí me parece que no es así.

**3.** Haz la encuesta. Escribe los nombres de tus compañeros en el cuadro y marca con ✔ sus respuestas.

### ¿Cuáles son tus tres principales objetivos para el futuro?

| | | | | |
|---|---|---|---|---|
| Gozar de buena salud | | | | |
| Tener muchos amigos | | | | |
| Ir a la universidad | ✔ | | | |
| Encontrar un trabajo estable | ✔ | | | |
| Ganar mucho dinero | ✔ | | | |
| Casarme y tener una familia | | | | |
| Luchar contra las injusticias | | | | |

**4.** Presenta los resultados a la clase.

Los tres objetivos de mi grupo para el futuro son: en primer lugar..., luego... y, por último, ...

# CHIC@S en la red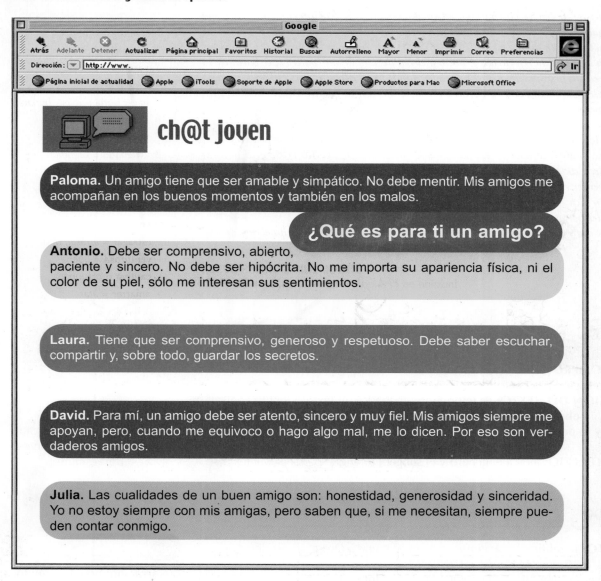

**Entra en nuestro *chat* y danos tu opinión.**

---

**Google**

Atrás  Adelante  Detener  Actualizar  Página principal  Favoritos  Historial  Buscar  Autorrelleno  Mayor  Menor  Imprimir  Correo  Preferencias

Dirección: ▼ http://www.  → Ir

⬤ Página inicial de actualidad   ⬤ Apple   ⬤ iTools   ⬤ Soporte de Apple   ⬤ Apple Store   ⬤ Productos para Mac   ⬤ Microsoft Office

## ch@t joven

**Paloma.** Un amigo tiene que ser amable y simpático. No debe mentir. Mis amigos me acompañan en los buenos momentos y también en los malos.

**¿Qué es para ti un amigo?**

**Antonio.** Debe ser comprensivo, abierto, paciente y sincero. No debe ser hipócrita. No me importa su apariencia física, ni el color de su piel, sólo me interesan sus sentimientos.

**Laura.** Tiene que ser comprensivo, generoso y respetuoso. Debe saber escuchar, compartir y, sobre todo, guardar los secretos.

**David.** Para mí, un amigo debe ser atento, sincero y muy fiel. Mis amigos siempre me apoyan, pero, cuando me equivoco o hago algo mal, me lo dicen. Por eso son verdaderos amigos.

**Julia.** Las cualidades de un buen amigo son: honestidad, generosidad y sinceridad. Yo no estoy siempre con mis amigas, pero saben que, si me necesitan, siempre pueden contar conmigo.

---

**1.** ¿Qué opiniones compartes?

**2.** Y tú, ¿qué seis virtudes valoras más en un amigo? ¿Y qué no soportas? ¿Puedes añadir otras virtudes y defectos?

**3.** Ahora, escribe tu propia definición de la amistad y envíala a chicos-chicas@edelsa.es

**4.** ¿Quieres trabar amistad con chicos y chicas hispanoamericanos? Visita esta web: www.nalejandria.com/amigos.htm Te ofrece la dirección electrónica de chicos y chicas de tu edad para compartir aficiones. También puedes dejar tu dirección con tu presentación y otros chicos con los mismos gustos que los tuyos te escribirán.

| Adjetivos | Sustantivos |
|---|---|
| respetuoso | respeto |
| comprensivo | comprensión |
| atento | atención |
| amable | amabilidad |
| fiel | fidelidad |
| generoso | generosidad |
| sincero | sinceridad |
| paciente | paciencia |
| hipócrita | hipocresía |
| simpático | simpatía |

# CON&texto

## LOS DOS REYES Y LOS DOS LABERINTOS

Cuentan los hombres dignos de fe (...) que en los primeros días hubo un rey de las islas de Babilonia que congregó a sus arquitectos y magos y les mandó construir un laberinto tan complejo y sutil que los varones más prudentes no se aventuraban a entrar, y los que entraban se perdían. (...) Con el andar del tiempo vino a su corte un rey de los árabes, y el rey de Babilonia (para hacer burla de la simplicidad de su huésped) lo hizo penetrar en el laberinto, donde vagó afrentado y confundido hasta la declinación de la tarde. Entonces imploró socorro divino y dio con la puerta. Sus labios no profirieron queja ninguna, pero le dijo al rey de Babilonia que él en Arabia tenía otro laberinto y que, si Dios era servido, se lo daría a conocer algún día. Luego regresó a Arabia, juntó sus capitanes y sus alcaides y estragó los reinos de Babilonia con tan venturosa fortuna que derribó sus castillos, rompió sus gentes e hizo cautivo al mismo rey. Lo amarró encima de un camello veloz y lo llevó al desierto. Cabalgaron tres días, y le dijo: "¡Oh, rey del tiempo y sustancia y cifra del siglo!, en Babilonia me quisiste perder en un laberinto de bronce con muchas escaleras, puertas y muros; ahora el Poderoso ha tenido a bien que te muestre el mío, donde no hay escaleras que subir, ni puertas que forzar, ni fatigosas galerías que recorrer, ni muros que te veden el paso."

Luego le desató las ligaduras y lo abandonó en mitad del desierto, donde murió de hambre y de sed.

JORGE LUIS BORGES (1952),
incluido en *El Aleph*, Buenos Aires, Losada, 1952.

### VOCABULARIO

1. **congregar** = *reunir*
2. **complejo** = *difícil*
3. **varones** = *hombres*
4. **aventurarse** = *atreverse*
5. **hacer burla** = *reírse, burlarse*
6. **penetrar** = *entrar*
7. **vagar** = *andar, moverse*
8. **afrentado** = *ofendido*
9. **declinación** = *caída*
10. **implorar** = *pedir, suplicar*
11. **proferir queja** = *quejarse*
12. **juntar** = *reunir*
13. **estragar** = *arrasar, destruir*
14. **venturosa** = *buena*
15. **cautivo** = *prisionero*
16. **amarrar** = *atar*
17. **vedar** = *cerrar*
18. **ligaduras** = *ataduras*

## El Encuadre

### ETAPA PREVIA
Vas a tener elementos externos para comprender mejor el texto

1. **LECTURA COMPRENSIVA:** lee el texto en profundidad las veces necesarias para entenderlo bien. Si lo necesitas, usa el diccionario.
2. **LOCALIZACIÓN DEL TEXTO:** es importante encuadrar el texto. Identifica: el **título**, el **autor**, la **obra** y la **fecha**. Otros datos que te pueden ayudar son: la **época**, la **vida** y la **personalidad** del autor y la **relación** del texto con el resto de su obra.
3. **GÉNERO LITERARIO:** indica el **género** y el **subgénero** al que pertenece el texto.

### PARA SABER MÁS
www.epdlp.com/borges.html
www.literatura.org/Borges/Borges.html

## El Contenido

1. **ARGUMENTO:** identifica las **acciones** más importantes. Después, escribe un breve resumen.
2. **TEMA:** ¿cuál es la **idea básica** del texto? Define la **intención** del autor en un par de frases.
3. **ESTRUTURA:**
a. Anota las **palabras claves** alrededor de las cuales se articula el texto.
b. Fíjate en el / los **hecho(s) central(es)** y en el / los **secundario(s)**. Después, observa cómo se encadenan y subraya los conectores.
c. ¿La estructura corresponde al esquema **introducción – desarrollo – desenlace**?
d. Localiza y caracteriza a los **personajes principales** y secundarios.

### GÉNEROS

- **Narración:** novela, cuento, leyenda...
- **Poesía:** soneto, canción, elegía...
- **Teatro:** tragedia, comedia, drama...
- **Ensayo:** artículo, ensayo...

## Profundiza

1. Caracteriza la personalidad de los reyes según los laberintos de cada uno.
2. ¿Por qué el rey de los árabes destruye los reinos de Babilonia? ¿Por qué captura al rey de Babilonia y lo lleva al desierto?
3. Reflexiona sobre el cuento. ¿Puedes sacar alguna enseñanza o moraleja?

### OPINIÓN PERSONAL

- ¿Te parece bien la reacción del rey de Arabia?
- ¿Crees que hay otras formas de solucionar situaciones de este tipo?

# EL MUNDO HISPANO EN TU mochila

## Puerto Rico

Océano Atlántico

Arecibo
San Juan
Aguadilla
Bayamón • Carolina
Grande de Arecibo
Grande de Añasco
Fajardo
Caguas
• Mayagüez
PUERTO RICO
Isla de Vieques
• Ponce

Mar Caribe

Vista panorámica. SAN JUAN.

Ruinas de fábrica de azúcar.
SANTA ISABEL.

Fuerte El Morro.
SAN JUAN.

Playa Flamenco.
FAJARDO.

Puerto Rico es una isla montañosa de 8.959 km² situada en el Caribe. Limita al norte con el océano Atlántico, al este con el paso de las Vírgenes, al sur con el mar Caribe y al oeste con el canal de la Mona.

Su nombre oficial es Estado Libre Asociado de Puerto Rico. Los puertorriqueños son ciudadanos de los Estados Unidos desde 1917.

La población es de aproximadamente 3.900.000 habitantes, en su gran mayoría de origen hispano.

La capital de Puerto Rico es San Juan. Otras ciudades importantes son Bayamón, Ponce, Carolina y Caguas.

El idioma oficial es el español pero también se habla inglés.

En Puerto Rico predomina el clima tropical: húmedo y cálido. La temperatura anual media es de 26 grados.

En la isla abundan especies tropicales como el árbol de Ceiba, los helechos, las orquídeas, las palmeras... mientras que en la región seca del suroeste hay muchos cáctus. La flor nacional es la maga. Hay también una gran variedad de especies animales: 190 especies de aves (gaviotas, golondrinas de mar, alcatraces...), mamíferos marinos (como ballenas y delfines), reptiles (tortugas, boas, iguanas...), anfibios (sapos, ranas o coquíes...).

En la poca tierra disponible para la agricultura se cultiva caña de azúcar, café, plátanos y tabaco.

En Puerto Rico existen industrias petroquímicas, farmacéuticas y electrónicas.

Paseo.
SAN JUAN.

Vista panorámica.
RÍO MAR.

Peces Mariposa.

# FICHA RESUMEN

## COMUNICACIÓN

- **Describir el carácter**
  *Soy tranquilo. Es divertido y generoso.*
- **Hablar de los demás**
  *Un amigo tiene que ser amable. No debe mentir. No me importa su apariencia física.*
- **Dar la opinión y manifestar acuerdo y desacuerdo**
  - *Yo creo que los jóvenes tienen muchos intereses.*
  - *Opino lo mismo.*
  - *Pues yo no estoy de acuerdo.*

  - *Creo que a los jóvenes no sólo les preocupa el dinero y el amor.*
  - *Sí, es verdad. Son ecologistas, se interesan por la cultura...*
- **Expresar sentimientos**
  *Me molesta la música muy alta. Me divierte ver la tele. Me ponen nervioso los exámenes.*

## GRAMÁTICA

- **Adjetivos con significado diferente según se usen con *ser* o con *estar***
  *Tenemos que estar listos a las 10. Esta es una buena clase: los chicos son listos. El bocadillo de tortilla está muy rico. Los padres de Luis son ricos.*
- **Adjetivos y sustantivos**
  *Respetuoso / respeto; sincero / sinceridad; paciente / paciencia; atento / atención...*
- **La oración causal**
  *Me gusta reír, es que tengo sentido del humor y buen carácter.*
- **La oración concesiva**
  *Parezco egoísta, sin embargo soy muy generoso.*
- **Verbos de sentimiento**
  *Interesar, preocupar, alegrar, molestar, divertir, poner triste, dar miedo...*

## VOCABULARIO

- **Adjetivos para describir el carácter y la personalidad**
  *Generoso, divertido, responsable, amable...*
- **Intereses y preocupaciones**
  *El deporte, la música, el cine, las motos, la moda, los videojuegos...*
  *La violencia, el paro, la injusticia, la ecología...*

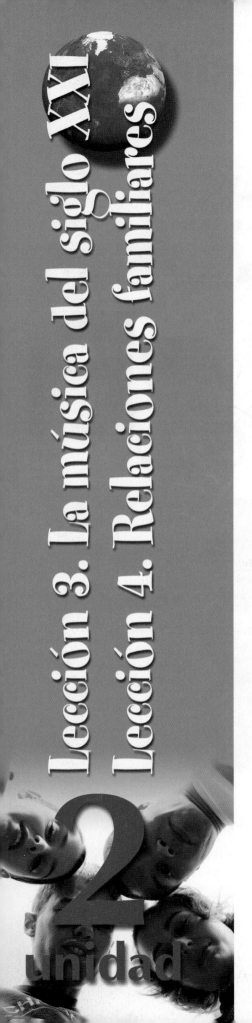

XXI

Lección 3. La música del siglo XXI
Lección 4. Relaciones familiares

2 unidad

# Contenidos

## COMUNICACIÓN

- Realizar una entrevista.
- Indicar gustos e intereses.
- Expresar deseos de difícil realización.
- Formular preguntas indirectas.
- Hablar de las relaciones familiares.
- Contar un problema.
- Solicitar y dar consejos.
- Pedir favores formalmente.
- Hacer propuestas, sugerir.

## GRAMÁTICA

- Preguntas indirectas.
- Forma y usos del Condicional.
- Expresiones de deseo en Condicional.
- Verbos que muestran las relaciones entre las personas (*llevarse bien / mal, caerle bien / mal,* etc.).

## VOCABULARIO

- Estilos musicales.
- Verbos y expresiones para valorar personas.
- Secciones de un periódico.

## PROYECTO

- El noticiero del instituto.

## LECTURAS

- Chic@s en la red: En la página *web* de los viajes.

# La música del siglo XXI

**1.** ¿Qué tipo de música te gusta? ¿Cuál es tu cantante o tu grupo favorito?

El POP · La música dance · La música clásica · La techno · LA MÚSICA LATINA · EL ROCK · El reggae

**2.** ¿Conoces a alguno de estos cantantes? ¿Qué sabes de ellos?

Shakira

Chayanne

Jennifer López

Luis Miguel

Ricky Martin

Patricia Manterola

**3.** **a. Aquí tienes una biografía de Ricky Martin. Léela y responde a las preguntas.**

## Ricky Martin

De nombre Enrique Martín Morales, nació en San Juan de Puerto Rico el 24 de diciembre de 1971. A los 12 años empezó a cantar en el grupo Menudo. En 1989 se marchó a Nueva York y trabajó como modelo para pagarse sus estudios de teatro y canto. Un año después, grabó su primer disco y luego un álbum en portugués que tuvo un enorme éxito en Brasil. Desde entonces, ha recibido varios premios y realiza giras mundiales.
*La Copa de la vida*, canción oficial de la Copa del Mundo de Fútbol de Francia 98, fue número 1 en 30 países. Hasta la fecha, ha vendido más de 32 millones de álbumes.

Fuente: ciudadfutura.com/rickymartin/

¿En qué año empezó su carrera en solitario?

¿A qué profesiones se ha dedicado?

¿En qué año publicó su primer álbum?

¿En qué países canta ahora?

**b. Escucha esta entrevista ficticia a Ricky Martin. Luego relaciona.**

Acaba de terminar una gira — empezó su carrera en solitario.
Su último disco ya está — en todas las listas de ventas.
Su disco tiene baladas — el contacto directo con el público.
Empezó a cantar — por Latinoamérica.
En 1989 — la canción de la Copa del Mundo de fútbol.
En 1999 interpretó — a los 12 años.
Recibió un premio Grammy — por la mejor interpretación pop latina.
Le gusta — y canciones con ritmos latinos muy pegadizos.

**4.** Observa.

| PREGUNTAS DIRECTAS E INDIRECTAS | |
|---|---|
| Pregunta con interrogativo | Me gustaría /Quiero saber/preguntarle... |
| ¿Dónde vives?<br>¿Cómo eres?<br>¿Cuál es tu música favorita?<br>¿Cuándo va a ser tu próxima gira?<br>¿Qué vas a hacer? | ... dónde vive.<br>... cómo es.<br>... cuál es su música favorita.<br>... cuándo va a ser su próxima gira.<br>... qué va a hacer. |
| Pregunta sin interrogativo | Me gustaría /Quiero saber/preguntarle... |
| ¿Conoces España?<br>¿Vas a dar un concierto en Brasil? | ... si conoce España.<br>... si va a dar un concierto en Brasil. |

**5.** a. Observa.

b. Compara la formación del Condicional con la del Futuro.

**EL CONDICIONAL**

| Yo | cantar- | -ía |
|---|---|---|
| Tú, vos | | -ías |
| Él/ella, usted | comer- | -ía |
| Nosotros/as | | -íamos |
| Vosotros/as | | -íais |
| Ellos/as, ustedes | escribir- | -ían |

| DECIR | | HACER | |
|---|---|---|---|
| FUTURO | CONDICIONAL | FUTURO | CONDICIONAL |
| diré | diría | haré | haría |
| dirás | dirías | harás | harías |
| dirá | diría | hará | haría |
| diremos | diríamos | haremos | haríamos |
| diréis | diríais | haréis | haríais |
| dirán | dirían | harán | harían |

c. ¿Cómo se conjugan en Condicional estos verbos irregulares?

poder    poner    querer    saber    salir    tener    venir

podría   pondría   querría   sabría   saldría   tendría   vendría

**6.** a. ¿A qué personaje famoso te gustaría conocer personalmente? ¿Por qué? ¿Qué harías con él o ella? ¿Dónde irías? ¿De qué hablarías?

b. Imagina que has ganado el concurso "Un día con tu ídolo". ¿Qué te gustaría saber de él o de ella?

A mí me gustaría saber si...

# Relaciones familiares

**1.** Todos tenemos problemas. Lee esta lista y marca los tuyos. Compara tus respuestas con las de tus compañeros.

☐ No me llevo bien con mis hermanos.

☐ Mis padres son muy estrictos.

☐ Me cuesta mucho estudiar después de clase.

☐ No voy muy bien en matemáticas.

☐ No sé qué hacer en el futuro.

☐ Tengo problemas con un amigo y estoy enojado con él.

☐ Otros: _____

> Llevarse bien /mal con...
> Irle bien /mal...
> Tener problemas con...
> No saber qué hacer...
> Costarle mucho/poco...

**2.** **a.** Estos chicos también tienen problemas. Escucha este programa y relaciona el problema con la persona.

**1.** Quiere salir con una chica, pero le cuesta mucho hablar con ella.

**2.** Se enojaron y ahora le gustaría reconciliarse con su mejor amiga.

**3.** No se lleva bien con su hermana.

**4.** Cree que sus padres no la entienden.

Matilde

Víctor

Virginia

Rubén

**b.** Escucha otra vez, lee los mensajes y complétalos. ¿A quién va dirigido cada uno?

a. En casi todas las familias hay problemas entre hermanos, sobre todo cuando tienen una gran diferencia de edad...

b. Todos los adolescentes piensan lo mismo. Yo que tú... Ya verás como poco a poco se soluciona.

c. Deberías hablar con ella... Ya verás como te perdona, pues eres su mejor amigo, ¿no?

d. Yo que tú, después de clase... Así podrás observar sus reacciones, ver si tenéis muchas cosas en común y saber si le gustas de verdad.

**3.** **a. En el programa de radio se usan estas expresiones para aconsejar a los chicos. Relaciona:**

Yo que tú, •

(Yo) En tu lugar, •

∅ •

Deberías

intentaría

aprovecharía para

la invitaría

trataría de

• no enojarme con ella.
• hablar con ella.
• compartir las tareas.
• a tomar algo.
• pensar como ella.
• demostrarles que soy responsable.
• ponerme en su lugar.

**b. Observa.**

| PEDIR Y DAR CONSEJOS | | |
|---|---|---|
| Pedir consejos | ¿Tú qué + Condicional (en mi lugar)? | ¿Tú qué harías en mi lugar? |
| Dar consejos | Yo que tú,<br>(Yo) En tu lugar, } + Condicional<br>Deberías + Infinitivo | Yo, en tu lugar, hablaría con ella.<br>Deberías ayudar a tu hermana. |

**c. ¿Qué consejos darías a estas personas?**

Los fines de semana me aburro, no sé qué hacer.

Como no voy muy bien en mis estudios, mis padres me castigan los fines de semana.

Soy muy tímido y me cuesta hacer amigos.

Siempre llego tarde.

¡Qué cansado estoy!

**4.** **a. El Condicional se utiliza en situaciones formales. Observa.**

**b. Pide estos favores.**

1. Vas en un tren y tienes mucho calor.
2. Le pides un disco de Ricky Martin a un compañero al que no conoces mucho.
3. Le preguntas la hora a un señor mayor.
4. No has entendido bien a un profesor.
5. Hay dos personas hablando delante de la puerta del supermercado y quieres entrar.
6. Le preguntas a un policía una dirección.

**c. Elige un tema y redacta un texto.**

1. ¿Cuáles son tus vacaciones soñadas?
2. ¿Qué te gustaría hacer después de la escuela?
3. ¿Qué país te gustaría visitar?

| PEDIR ALGO A ALGUIEN DE FORMA CORTÉS |
|---|
| Poder / Importar + Infinitivo |
| *¿Podrías / Te importaría cerrar la puerta?*<br>*¿Podría ir a casa de Yolanda?* |

| EXPRESAR DESEOS DE DIFÍCIL REALIZACIÓN |
|---|
| Me gustaría / encantaría + Infinitivo |
| *Me gustaría / encantaría ir a la playa.*<br>*Querría conocer a alguien famoso.* |

A mí me gustaría mucho viajar a una isla paradisíaca. Allí tendría mucho tiempo para pasear y bañarme en el mar. Iría con mis amigos y por las noches organizaríamos fiestas en la playa. Comeríamos los pescados y mariscos del mar...

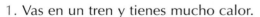

**1.** A estas amigas les encanta el *rap*.
**a.** Lee lo que les gustaría saber sobre este estilo musical y completa sus frases con los interrogativos del cuadro.

Marta: A mí me gustaría saber ....dónde.... nació y en ....que.... año.
También querría saber ....qué.... significa la palabra *rap* y en ....qué.... consiste este estilo musical.

Lucia: Yo quiero saber ....quién.... lo inventó, ....cómo.... evolucionó y ....cuáles.... son los temas de las canciones.

| cómo | qué | cuáles | dónde | qué | quién | qué |

**b.** Ahora, relaciona las dos partes de cada frase para obtener un texto sobre la historia del *rap*. Luego, indica a qué pregunta responde cada frase.

- *Rap* significa
- Este estilo musical nació en
- Consiste en hablar
- En un principio, los pinchadiscos de las discotecas
- En los años ochenta se introdujeron nuevas técnicas
- Las letras de las canciones de *rap* denuncian

- sobre una melodía.
- la discriminación racial y los problemas sociales.
- «hablar».
- los barrios negros e hispanos neoyorquinos en los años setenta.
- como el *scratch* (mover el disco con la mano para obtener un efecto similar al «rayado de un disco»).
- decían frases de forma rítmica mientras cambiaban de disco en la cabina.

**2.** Primero, completa con el Condicional. Despúes, sigue la historia.

De tener dinero, __saldría__ (salir) el fin de semana. De salir el fin de semana, __iría__ (ir) a bailar a la disco. De ir a bailar a la disco, __conocería__ (conocer) a una chica. De conocer a una chica, le __pediría__ (pedir) su número de teléfono. De pedirle el número de teléfono, la __llamaría__ (llamar) el domingo. De llamarla el domingo, __quedaría__ (quedar) con ella para ir al cine. De ir al cine...

**3.** **a. Lee este texto dedicado a José.**

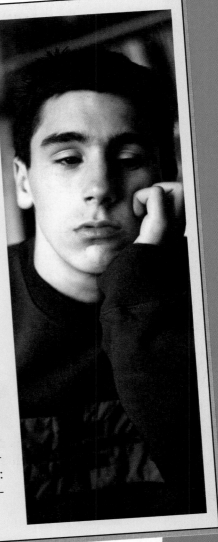

## ¡Socorro! Llegan las vacaciones
## Tratamiento antiaburrimiento

• **Primera medicina: tres buenas ideas.**
- Lectura, lectura, lectura.
- Volver a decorar y ordenar tu habitación.
- Escribir o visitar a tus seres queridos (abuelos, tíos, amigos del campamento del año pasado...).

• **Segunda medicina: los amigos.**
Ya lo sabes, cuando estás con tus amigos, el aburrimiento desaparece en un segundo. Lanza invitaciones: meriendas en tu casa (con el permiso de tus padres, claro), partidos de fútbol en el barrio, mañanas o tardes en la piscina, pequeñas excursiones...

• **Tercera medicina: la familia.**
¡Que sí, de verdad! No es tan horrible transformarse en el acompañante de tu hermana pequeña. Una visita al zoo, un chocolate caliente en la cafetería, unos dibujos animados en el cine. Ella estará muy contenta y tú también, ¡¡seguro!!

• **Cuarta medicina: la cultura.**
Atrévete. En las bibliotecas no hay sólo estudiosos... Con un libro el tiempo pasa muy deprisa. Y existen libros para todos los gustos: de acción, cómics, de ciencia-ficción, de aventuras, de historia, sobre la naturaleza... También están los centros culturales: ofrecen actividades deportivas, cursos de fotografía, teatro, sesiones de cine... y podrás hacer muchos nuevos amigos.

Adaptado de *Súper Júnior*.

**b. Transforma las frases del texto para dar más consejos.**

Deberías leer. Podrías decorar tu habitación. Yo que tú, llamaría a los amigos y...

_____

_____

_____

_____

_____

**PUEDES USAR ESTOS VERBOS Y EXPRESIONES:**

• no quedarse en casa
• leer • llamar • apuntarse
• practicar • llevar
• organizar • acompañar
• jugar • elegir • escribir
• ir • tomar • visitar
• ver • hacer • merendar

# Proyecto

## El noticiero del instituto

Tu instituto quiere crear un periódico y ofrece a tu clase formar parte del equipo de redacción.

 **1.** Primero, busca el nombre y las secciones.

**a.** ¿Qué nombre le pondrías?

> Podríamos llamarlo...
> A mí, me gustaría llamarlo...

**b.** ¿Cuáles serían las secciones?

Moda
Ecología
Entrevistas

Consultorio
Países del
mundo

Ciencia y
tecnología
Cartelera de cine

Ocio
Recetas de
cocina

Internet
Música
Pasatiempos

Deporte
Cómic
Actualidad
del instituto

> Yo elegiría las siguientes secciones: ...
> Yo escogería...
> Pues yo pienso que quedaría bien una sección dedicada a...
> Y yo pondría siete secciones: ...
> Creo que tendría que haber una sección relacionada con...

 **2.** Forma grupos de redacción.

**a.** Primero selecciona las noticias de la primera página del periódico de esta semana. Busca las noticias más interesantes y discute con tus compañeros las que finalmente se incluirán.

> Me gustaría incluir reportajes centrados en...
> Tendríamos que poner también reportajes sobre...
> Me parece que estaría bien ofrecer textos dedicados a...
> No deberían faltar los artículos referidos a...

> La primera sección sobre ecología debería estar dedicada a la deforestación.

 **b.** Cada grupo elige una noticia y la escribe.

**c.** Junta todas las noticias y confecciona la primera página del periódico del instituto.

# CHIC@S en la red 👉🌐

**Google**

Dirección: http://www.

| Página inicial de actualidad | Apple | iTools | Soporte de Apple | Apple Store | Productos para Mac | Microsoft Office |

## LA PÁGINA DE LOS AVENTUREROS
## UN SUEÑO HECHO REALIDAD

**Vivimos 17 años en un barco**

- Vivimos 17 años en un barco
- 30 días en globo
- Subida al Everest
- Vuelta a Europa en bicicleta
- Safari fotográfico por África

En 1983, Santiago González, su mujer y sus dos hijos Urko y Zigor partieron del puerto de Fuenterrabía, en el País Vasco, para dar la vuelta al mundo en barco. Primero navegaron hacia Canarias. Buscaban los sitios más alejados de las rutas convencionales, porque son zonas donde se mantienen las culturas originales. Llegaron a Dakar y luego atravesaron el océano Atlántico rumbo a Brasil, el Delta del Amazonas, la Guayana Francesa, Panamá, Guatemala... En este país pasaron una larga estancia para construir otro barco más grande.

En los siguientes tres años, cruzaron el Pacífico, pararon en pequeñas islas como Galápagos, Marquesas, Polinesia, Samoa, Nueva Caledonia, Vanuatu, Salomón... y llegaron a Papua-Nueva Guinea, donde vieron un espectáculo maravilloso: el apareamiento de ballenas de más de 15 metros.

También tuvieron malas experiencias: se encontraron con piratas, tiburones, abejas asesinas, contrabandistas...

Navegaron durante 17 años, y durante estos años, Urko y Zigor aprendieron, se educaron y crecieron de una manera apasionante, pero a ellos les faltaba la normalidad. Un día, quisieron regresar a su ciudad natal para conocer un nuevo tipo de vida. Cuando el 20 de agosto de 2000 la familia arribó a Fuenterrabía, se encontró con un recibimiento espectacular: cientos de barcos y miles de personas querían conocer su aventura.

1. ¿Por qué crees que dieron esta vuelta al mundo?

2. De todos los lugares indicados, ¿a ti cuáles te gustaría visitar? (Indica tres.)

3. ¿Qué cinco preguntas querrías hacer a Urko y a Zigor?

4. Investiga: ¿conoces el nombre de grandes aventureros y descubridores?

   Busca información, haz un resumen de 10 líneas y envíalo a chicos-chicas@edelsa.es

# Tarea final

## Describir el carácter

### 1. Primero prepara el vocabulario y las expresiones.

**a.** Elige 5 adjetivos que concuerdan con tu carácter.

*Simpático, generoso, amable, sincero, trabajador, inteligente, ordenado, altruista, positivo, activo, tolerante, abierto, gracioso, alegre, divertido, deportista, tímido, callado, goloso, nervioso, travieso, cariñoso, vago, orgulloso, testarudo, envidioso, educado, serio, inteligente, paciente, etc.*

**b.** Piensa en una persona que te cae muy bien y en otra que te cae mal. Explica por qué.

**c.** Di qué temas te preocupan, interesan, etc.

*La ecología, la violencia, la injusticia, la desigualdad, el mundo, el futuro, el hambre en el mundo, la política internacional, la economía, etc.*

**d.** Habla de tus gustos musicales y del tiempo libre.

*Los deportes, la música, el cine, la literatura, las excursiones, leer, tocar música, actuar en un grupo de teatro...*

**e.** Participarías en el club de fans de... ¿Por qué?

### 2. Ahora escribe un correo y envíalo a chicos-chicas@edelsa.es Los mejores se publicarán. Tal vez recibas respuestas de otros estudiantes.

**chicos-chicas@edelsa.es**

**Nuevo mensaje**

Nombre:

Dirección electrónica:

Texto del mensaje:

# FICHA RESUMEN

## COMUNICACIÓN

- **Formular preguntas indirectas**
  *Me gustaría saber cómo se titula el último disco de Ricky Martin.*
- **Contar un problema**
  *No me llevo bien con mi hermano. Me cuesta estudiar después de clase.*
- **Solicitar y dar consejos**
  *¿Qué harías en mi situación? Yo que tú, estudiaría más. Deberías hacer esquemas.*
- **Pedir favores formalmente**
  *¿Te importaría cerrar la puerta?*
  *¿Podrías bajar a comprar el pan?*
- **Expresar deseos**
  *Me gustaría ir a casa de Pedro.*
- **Hacer propuestas, sugerir**
  *Podríamos escribir un artículo sobre la naturaleza. También tendríamos que poner reportajes.*

## GRAMÁTICA

- **Preguntas indirectas**
  *Me gustaría / Quiero saber dónde / cómo / cuándo / qué / cuál es...*
- **El Condicional**
  **Verbos regulares:** *hablar > hablaría, comer > comería, vivir > viviría.*
  **Verbos irregulares:** *decir > diría, hacer > haría, poder > podría, poner > pondría, querer > querría, saber > sabría, tener > tendría...*
- **Verbos que muestran las relaciones entre las personas**
  *Llevarse bien / mal con... Irle bien / mal... Tener problemas con... Costarle mucho / poco...*

## VOCABULARIO

- **La música y los estilos musicales**
  *El cantante, la canción, el álbum, grabar un disco, hacer una gira...*
  *El rock, el rap, el reggae, la música latina...*
- **Secciones de un periódico**
  *Moda, música, pasatiempos, cartelera de cine, ocio, recetas de cocina, deporte, cómic, consultorio, entrevistas, ciencia y tecnología...*

# Ámbito 2 Escolar

### 1. OBJETIVO:

En estas dos unidades vas a aprender a hablar de las tareas y las actividades de clase, a informarte de lo que otras personas dicen y opinan, a dar tu opinión sobre un tema y a pedir y dar consejos.

### 2. PREPARACIÓN:

Antes de empezar, piensa en todo el vocabulario y todas las expresiones que ya conoces sobre el tema:

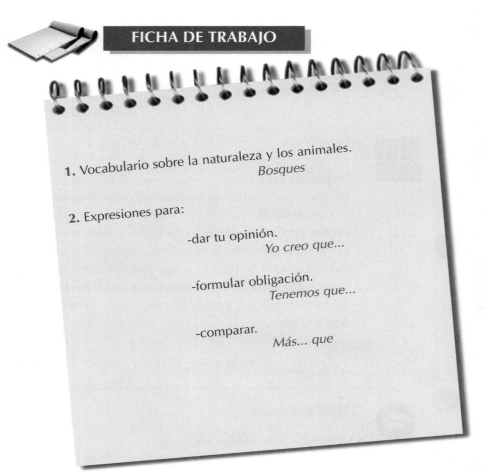

**FICHA DE TRABAJO**

**1.** Vocabulario sobre la naturaleza y los animales.
*Bosques*

**2.** Expresiones para:

-dar tu opinión.
*Yo creo que...*

-formular obligación.
*Tenemos que...*

-comparar.
*Más... que*

### 3. TAREA:

Después de las dos unidades realizarás una redacción sobre uno de estos temas: describir tu país y sus costumbres, argumentar una opinión sobre algo, contar una experiencia de clase. Esta redacción la puedes mandar a chicos-chicas@edelsa.es y participar en un concurso: se publicarán las mejores. Así tal vez puedas conocer a chicos de otros países.

Lección 5. Una excursión del instituto

Lección 6. El Día de la Tierra

unidad

3

# Contenidos

## COMUNICACIÓN

- Hablar de la naturaleza.
- Describir lugares.
- Relacionar acontecimientos.
- Comparar.
- Responder con diferentes grados de seguridad.
- Expresar ignorancia.
- Mostrar acuerdo o desacuerdo.
- Hacer recomendaciones.
- Explicar problemas y proponer soluciones.

## GRAMÁTICA

- Los pronombres relativos con y sin preposición.
- Los comparativos y superlativos.
- La oración condicional real.
- Verbos de obligación, necesidad y posibilidad con Infinitivo.

## VOCABULARIO

- Paisajes naturales.
- Ecología y naturaleza.

## PROYECTO

- Los países hispanohablantes.

## LECTURAS

- Chic@s en la red: en la página *web* de los récords.
- El mundo en tu mochila: Nicaragua.
- Con & texto: una poesía de Antonio Machado.

**1.** **a. Observa estos paisajes. ¿Sabes dónde están situados? ¿Podrías citar el nombre de otros paisajes conocidos?**

El desierto de Atacama

La selva del Amazonas

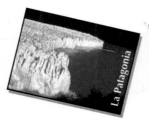

La Patagonia

La cordillera de los Andes

El Everest

**b. Lee este texto. ¿Qué tipo de documento es? ¿A qué lugar hace referencia? ¿De qué habla?**

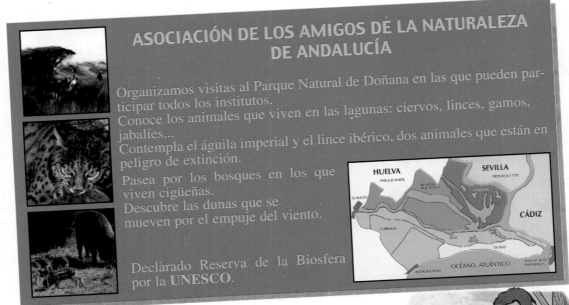

## ASOCIACIÓN DE LOS AMIGOS DE LA NATURALEZA DE ANDALUCÍA

Organizamos visitas al Parque Natural de Doñana en las que pueden participar todos los institutos.

Conoce los animales que viven en las lagunas: ciervos, linces, gamos, jabalíes...

Contempla el águila imperial y el lince ibérico, dos animales que están en peligro de extinción.

Pasea por los bosques en los que viven cigüeñas.

Descubre las dunas que se mueven por el empuje del viento.

Declarado Reserva de la Biosfera por la **UNESCO**.

 **c. Natalia Moreno es profesora de ciencias sociales y quiere organizar una excursión a Doñana. Escucha el diálogo y marca verdadero (V) o falso (F).**

|  | V | F |
|---|---|---|
| 1. En Doñana hay varios tipos de paisajes. | ☐ | ☐ |
| 2. Algunas aves migratorias pasan el invierno en Doñana. | ☐ | ☐ |
| 3. El lince ibérico es un animal en peligro de extinción. | ☐ | ☐ |
| 4. Los estudiantes podrán visitar el Parque solos. | ☐ | ☐ |
| 5. La Asociación sólo propone excursiones a pie. | ☐ | ☐ |

### d. Escucha otra vez y relaciona.

- Quería saber las actividades...
- Allí podrán ver las aves migratorias...
- Tendrá la oportunidad de ver el lince ibérico...
- Los monitores con quienes estarán sus estudiantes...
- Les mostrarán lugares interesantes...
- Doñana es un Parque muy grande...
- Yo le recomiendo la ruta 1...

- ... con la que recorrerá las marismas.
- ... desde los que poder observar la naturaleza salvaje del lugar.
- ... en el cual hay dunas móviles de gran interés.
- ... que organiza su asociación.
- ... que está en peligro de extinción.
- ... conocen perfectamente el Parque.
- ... que vienen a pasar el invierno aquí.

## 2.

### a. Observa los pronombres relativos.

|  | SE REFIERE A PERSONAS | SE REFIERE A COSAS |
|---|---|---|
| **Sin preposición** | Que | Que |
|  | *Hay guías. Estos guías enseñan el Parque.*<br><br>*Hay guías que enseñan el Parque.* | *Quería saber las actividades. La AANA organiza actividades.*<br>*Quería saber las actividades que organiza AANA.* |
| **Con preposición (a, en, de, por, para, con...)** | El / la / los / las que<br>El / la cual - los / las cuales<br>Quien - quienes | El / la / los / las que<br>El / la cual - los / las cuales |
|  | *Los monitores conocen muy bien el Parque.*<br>*Sus estudiantes estarán con esos monitores.*<br><br>*Los monitores con quienes / los que estarán sus estudiantes conocen muy bien el Parque.* | *Doñana es un Parque muy grande. En este Parque hay dunas móviles de gran interés.*<br><br>*Doñana es un Parque muy grande en el que / cual hay dunas móviles de gran interés.* |

### b. Completa con el pronombre adecuado. Escribe todas las frases posibles.

- ¿Me dejas el plano _____ compraste ayer?
- Te presento a las amigas con _____ voy a ir de excursión.
- Doñana es un parque muy grande en _____ puedes realizar paseos a caballo.
- Ayer hablamos con la secretaria _____ organiza la excursión.
- Toma, aquí tienes el folleto del _____ te hablé.
- Compramos unas postales _____ representan las dunas.

### c. Ayuda a Iván a redactar un anuncio sobre Doñana.

Doñana es un Parque Natural. Este parque ocupa 50.720 hectáreas.

Visite las dunas. Las dunas están en el sur del Parque.

En las dunas hay muchos animales. Puede sacar fotos de estos animales.

Nuestros guías le prestarán prismáticos. Con estos prismáticos observará los animales.

Podrá ver cigüeñas. Estas cigüeñas invernan en el bosque.

En Doñana hay marismas. Por las marismas se puede pasear a caballo.

**1.** **a.** ¿Te preocupan los problemas del medio ambiente? ¿Te consideras una persona ecológica? ¿Qué asocias con la palabra "ecología"?

Proteger las especies en peligro. ☑

Usar energías limpias. ☑

Combatir la contaminación del aire. ☑

Prohibir la tala de árboles. ☑

Proteger los mares y océanos. ☑

Otros: utilizar coches muy buenos

**b.** ¿Qué te parecen estas actividades para mejorar el medio ambiente? ¿Aceptarías participar en alguna? ¿En cuál?

**Participar en una campaña de recogida de vidrio.**

**Plantar árboles en campos despoblados.**

**Reciclar el papel.**

**Utilizar la bicicleta para moverte en la ciudad.**

**Colaborar en tareas de limpieza de parques y jardines.**

**2.** Desde 1970, cada 22 de abril se celebra en todo el mundo el Día de la Tierra. Lee este texto y haz un resumen de tres ideas importantes.

## Miles de ciudadanos se unen en la celebración del Día de la Tierra

Las últimas cumbres internacionales sobre el Desarrollo Sostenible y los debates sobre la ecología están dando sus primeros resultados. Este año se celebra de nuevo el Día de la Tierra, con una participación de ciudades muy superior a los años anteriores.

Según la Comisaria Europea de Medio Ambiente, "las últimas catástrofes climatológicas nos recuerdan que es necesario tomar decisiones rápidas". Por eso gobiernos de diferentes países y, en especial, de algunas ciudades se han propuesto concienciar a los ciudadanos en este Día de la Tierra de que hay que dejar el coche, y de que es urgente actuar en defensa de la naturaleza. En España 202 ciudades se suman a esta iniciativa, que significa un día sin coches, la realización de programas para fomentar el uso de la bicicleta y otros vehículos no contaminantes, el transporte público y los espacios para caminar. Un enemigo fundamental del Desarrollo Sostenible es el tráfico de autos privados, responsable de casi la cuarta parte de $CO_2$, el principal gas del efecto invernadero.

También en las escuelas públicas se celebrarán debates entre los estudiantes para buscar pequeñas soluciones y tomar conciencia del problema.

**3.** a. Observa.

## HACER RECOMENDACIONES

**Expresar necesidad u obligación**
Hay que
Es necesario    + Infinitivo
Es importante
Se debe(n)

**Presentar una solución posible**
Se puede(n)
Es conveniente + Infinitivo
Está bien

b. **Para celebrar el Día de la Tierra en clase de ciencias sociales se organiza un debate. Escucha la conversación y relaciona.**

- Hay que
- Es importante
- Es necesario
- Lo mejor es
- Se pueden
- Es conveniente
- Está muy bien

- hacer pequeñas acciones.
- utilizar los papeles por los dos lados.
- tener muchos centros para reciclar.
- hacer campañas de concienciación.
- hacer muchas cosas.
- educar a la gente.
- hacer esta celebración todos los años.

c. **Y tú, ¿qué puedes proponer en el Día de la Tierra?**
**Da soluciones a estos problemas ecológicos.**

LA CONTAMINACIÓN DEL AIRE Y DEL AGUA
LA DEFORESTACIÓN
EL EFECTO INVERNADERO
LOS INCENDIOS FORESTALES
LA DESAPARICIÓN DE ESPECIES

Para reducir la contaminación del aire hay que usar menos los coches.

EL DÍA DE LA TIERRA

**4.** a. Observa.

## EXPRESAR CONDICIONES CON EFECTOS FUTUROS

**Si + Presente, Futuro**
Si no cuidamos el medio ambiente, desaparecerán muchos animales.
**Futuro + si + Presente**
Desaparecerán muchos animales si no cuidamos el medio ambiente.

b. **Aquí tienes algunas propuestas ecológicas. Elige una y explica qué soluciona.**

Es necesario no usar los aerosoles. Si los usamos, aumentará el agujero de la capa de ozono.

**1.** **La isla de Pascua o Rapa Nui.**
**a. Lee y completa con los relativos de la lista.**

La isla de Pascua es el lugar más aislado del planeta. También se llama Rapa Nui: es el nombre .................. la llaman sus habitantes. Está situada en el océano Pacífico, a 3.760 km. de la costa de Chile, país .................. pertenece desde 1888. Es de origen volcánico y tiene una forma triangular. Su altura máxima es 508 metros y corresponde a la cima del volcán Marunga Terevaka, .................. posee un cráter con una laguna en su interior. La costa es rocosa y tiene acantilados. También hay dos playas. El paisaje es ondulado, con praderas .................. se depositó la lava de los volcanes. El clima es cálido, con una temperatura media de 20º C y lluvias todo el año. Tiene aproximadamente 2.863 habitantes, .................. un 70% son descendientes directos de los pobladores originales.

La isla tiene enormes estatuas de piedra llamadas "moais", .................. miden hasta 20 metros y pesan 10 toneladas. Están distribuidas a lo largo de la costa y representan cabezas humanas con grandes orejas. Estas estatuas son un gran enigma, porque nadie sabe cómo las construyeron los nativos.

que, en las que, con el que
al que, el cual, de los cuales

Orongo   Hanga Roa   Maunga Terevaka

Anakena

Vinapu

Valhu

polke

Rano Raraku

**b. Escribe con letras estos números.**

3.760 _____ 1.888 _____
508 _____ 2.863 _____

**c. Toma nota de todas las palabras relacionadas con la geografía.**

**2.** **Transforma las siguientes frases utilizando el pronombre relativo correspondiente y la preposición cuando sea necesario.**

1. La tierra es un planeta lleno de vida. En la tierra hay millones de especies.
   *La tierra es un planeta lleno de vida en el que hay millones de especies.*
2. Sin embargo, hay especies en peligro de extinción. Estas especies pueden desaparecer del planeta.

3. España cuenta con una gran diversidad biológica. Esta diversidad biológica está amenazada.

4. Según los ecologistas, en España hay 38 vertebrados en peligro de extinción. No todos los vertebrados en peligro de extinción están en el Catálogo Nacional de Especies Amenazadas.

5. Así, diferentes ONG se ocupan de la defensa y la protección de estas especies. Algunos ciudadanos ya colaboran con las ONG.

Tú también puedes contribuir.

**3.** **Relaciona.**

Si reciclamos...

... disminuiremos     la naturaleza.
... utilizaremos     menos el medio ambiente.
... aprovecharemos mejor     la deforestación.
... contaminaremos     menos energía.
... evitaremos     el exceso de residuos.
... cuidaremos     los recursos de la Tierra.

**4.** **a. Completa las frases con los verbos de la lista.**

| | | | |
|---|---|---|---|
| usar | ir | tirar | poner |
| echarlas | apágar | separar | tirar |

- Es importante _separar_ los residuos:
  - En la clase se deben _usar_ las hojas de papel por las dos caras antes de _echarlas_ a la papelera.
  - En el comedor hay que _tirar_ las botellas vacías en el contenedor de vidrio.
  - En el patio se pueden _poner_ diversos contenedores para reciclar papel, restos de alimentos, cristal, etc.
- No se deben _tirar_ las pilas a la papelera del aula.
- Para ahorrar energía hay que _apagar_ las luces de la clase antes de salir.
- Es conveniente _ir_ al instituto en bicicleta, porque no contamina.

**b. ¿Se te ocurren otras medidas para mejorar el medio ambiente? Haz recomendaciones en tu cuaderno.**

**5.** **Clasifica estos residuos.**

una lata de refresco E    una espina de pescado D      un periódico B    un cuaderno B
una pelota de fútbol C    un sobre B      un pedazo de pan D    una manzana D
un vaso A    un bote de champú vacío C      una cuchara C    una revista B
una naranja D    el embalaje del paquete de galletas C      un yogur vacío C    plástico C
un plato A    una lata de conserva C      restos de alimentos D    papel / cartón B
una botella de agua C    una carpeta C      vidrio A

Vidrio      Papel y cartón      Envases      Basura orgánica

## Los países hispanohablantes

**1. a.** Observa. El superlativo relativo

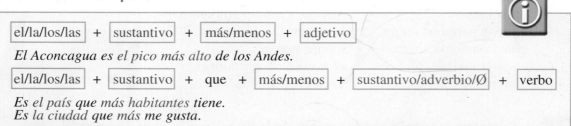

| el/la/los/las | + | sustantivo | + | más/menos | + | adjetivo |

*El Aconcagua es el pico más alto de los Andes.*

| el/la/los/las | + | sustantivo | + | que | + | más/menos | + | sustantivo/adverbio/Ø | + | verbo |

*Es el país que más habitantes tiene.*
*Es la ciudad que más me gusta.*

**b.** Aquí tienes algunas curiosidades de los países de habla hispana. ¿Sabes de qué país es cada una? Relaciona.

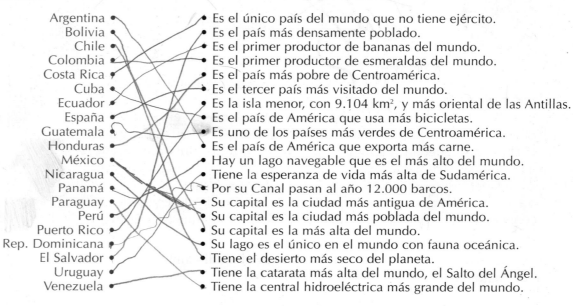

| | |
|---|---|
| Argentina | Es el único país del mundo que no tiene ejército. |
| Bolivia | Es el país más densamente poblado. |
| Chile | Es el primer productor de bananas del mundo. |
| Colombia | Es el primer productor de esmeraldas del mundo. |
| Costa Rica | Es el país más pobre de Centroamérica. |
| Cuba | Es el tercer país más visitado del mundo. |
| Ecuador | Es la isla menor, con 9.104 km², y más oriental de las Antillas. |
| España | Es el país de América que usa más bicicletas. |
| Guatemala | Es uno de los países más verdes de Centroamérica. |
| Honduras | Es el país de América que exporta más carne. |
| México | Hay un lago navegable que es el más alto del mundo. |
| Nicaragua | Tiene la esperanza de vida más alta de Sudamérica. |
| Panamá | Por su Canal pasan al año 12.000 barcos. |
| Paraguay | Su capital es la ciudad más antigua de América. |
| Perú | Su capital es la ciudad más poblada del mundo. |
| Puerto Rico | Su capital es la más alta del mundo. |
| Rep. Dominicana | Su lago es el único en el mundo con fauna oceánica. |
| El Salvador | Tiene el desierto más seco del planeta. |
| Uruguay | Tiene la catarata más alta del mundo, el Salto del Ángel. |
| Venezuela | Tiene la central hidroeléctrica más grande del mundo. |

**c.** Observa.

| **OPINAR** | **EXPRESAR IGNORANCIA** | **MOSTRAR ACUERDO** | **MOSTRAR DESACUERDO** |
|---|---|---|---|
| • Estoy seguro de que...<br>• Creo que...<br>• Yo diría que... | • No lo sé/(no tengo) ni idea.<br>• No me acuerdo. | • Es verdad.<br>• Tienes razón. | • No, qué va. Es...<br>• Te equivocas.<br>• Yo creo que no. |

**d.** Habla con tus compañeros y compara los resultados.

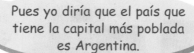

Pues yo diría que el país que tiene la capital más poblada es Argentina.

Te equivocas. Yo creo que es México.

**2.** Con tu compañero encuentra más récords para proponérselos a la clase.

¿Cuál es el río más largo de Brasil?

# CHIC@S en la red 👆

Mira, esta es la Tierra vista desde el espacio: una pequeña esfera azul que gira alrededor del Sol. ¡Qué bonita!, ¿verdad? En esta esfera extraordinaria, única en el Sistema Solar, hay océanos, ríos, llanuras, lagos, árboles, bosques, montañas, volcanes... VIDA.

¿Sabías que en la Tierra hay algunos animales muy sorprendentes?

El que pasa más horas comiendo: el elefante africano necesita consumir 200 kilos de hierba, y come durante16 horas al día.

El más ruidoso: la ballena azul emite sonidos más fuertes que un avión a reacción.

El que más rápido vuela: el halcón peregrino alcanza los 300 Km/h.

Los que vuelan más alto: los gansos salvajes son capaces de sobrevolar el Everest.

El más veloz en tierra firme: el guepardo corre a 120 Km.

Los más inteligentes después del hombre: el delfín y el chimpancé.

El que más años vive: la ballena de Groenlandia puede vivir hasta 210 años.

El más solitario: el panda gigante pasa solo la mayor parte de su vida.

Fuente: iespana.es

## ALGUNAS IDEAS

El más alto.
El que más duerme.
El que más crías puede tener.
El que más pesa.

**1.** Busca más récords de animales para tus compañeros. Luego, envíalos a chicos-chicas@edelsa.es

# CON&texto

## PROVERBIOS Y CANTARES - XXIX[1]

Caminante, son tus huellas
el camino y nada más;
Caminante, no hay camino,
se hace camino al andar.
Al andar se hace el camino,
y al volver la vista atrás
se ve la senda que nunca
se ha de volver a pisar.
Caminante no hay camino
sino estelas en la mar.

**ANTONIO MACHADO,**
incluido en *Poesías Completas. Antonio Machado*, Colección Austral A33,
Espasa Calpe.

### VOCABULARIO

1. **huellas** = *pisadas*
2. **senda** = *camino*
3. **volver la vista** = *mirar hacia atrás*
4. **se ha de** = *se debe*
5. **pisar** = *andar*
6. **estelas** = *surcos*

### MÉTRICA

**ARTE MENOR:**
De 2 a 8 sílabas por verso.
**ARTE MAYOR:**
De 9 sílabas en adelante por verso.
**RIMA ASONANTE:**
Sólo coinciden las vocales.
...Santiago / ...cielo / ...jugando / ...sereno
**RIMA CONSONANTE:**
Coinciden exactamente vocales y consonantes.
...herido / ...huido / ...sido

## EL ENCUADRE

### ETAPA PREVIA
Vas a tener elementos externos para comprender mejor el texto

**1. LECTURA COMPRENSIVA:** lee la poesía varias veces para entenderla en profundidad. Usa el diccionario si lo necesitas.
**2. LOCALIZACIÓN DEL TEXTO:** identifica al **autor**, el **título**, la **obra** y la **fecha** del texto.
**Otros datos importantes:** la **época** en la que se escribió la poesía, la **vida** y **personalidad** del autor y las **influencias** externas.

## FONDO Y FORMA

**1. FONDO:** determina el **tema** o la idea central del poema. ¿Es un tema tradicional o innovador, objetivo o subjetivo, de amor, existencial, social...?
**2. FORMA:**
- Cuenta las sílabas de cada verso. El poema, ¿es de **arte menor** o de **arte mayor**?
- Fíjate en la terminación de cada verso. ¿Son de **rima asonante** o **consonante**?
- Lee en voz alta de forma expresiva la poesía. Marca la rima con claridad.
- ¿Hay alguna **comparación**, alguna **personificación**, palabras **sinónimas** o **antónimas**?

**PARA SABER MÁS**
www.epdlp.com/machado.html
www.poesi.as/index.htm

## PROFUNDIZA

**1.** Observa la fotografía y apunta todas las impresiones que te produce. ¿Te gustaría conocer este lugar? ¿Sabes dónde está?
**2.** ¿Qué representa el camino? ¿Y el caminante? ¿Y el mar?
**3.** Sustituye "caminante" y "camino" por otras palabras, por ejemplo "cantante" y "canto", "estudiante" y "estudio".... Vuelve a escribir el poema cambiando también otros elementos para que la poesía tenga sentido.
Puedes enviarla a chicos-chicas@edelsa.es

### OPINIÓN PERSONAL

Da tu opinión personal sobre el poema. ¿Qué impresiones y sentimientos te ha causado? ¿Te gusta? ¿Por qué?

# EL MUNDO HISPANO EN TU mochila

HONDURAS

Puerto Cabezas

NICARAGUA

León
Lago de Managua
Managua
Masaya
Granada
Punta Gorda
San Juan del Sur
Lago de Nicaragua
Océano Pacífico
COSTA RICA
Mar Caribe

## Nicaragua

Lago de Managua.

Nicaragua limita al este con el mar Caribe, al oeste con el océano Pacífico, al norte con Honduras y al sur con Costa Rica. Es la república más grande de Centroamérica -129.494 km²- y también la menos poblada.

Este país posee aproximadamente cinco millones de habitantes: el 69% de la población es mestiza, el 17% de origen europeo, el 9% desciende de africanos y el 5% es indígena.

Su capital es Managua. Otras ciudades importante son León, Masaya, Granada y Cornit.

El idioma oficial es el español pero también se hablan lenguas indígenas como chibcha, miskito y sumo.

La moneda es el córdoba.

Una de las características más importantes del paisaje de Nicaragua son los volcanes: hay un total de 40, seis de los cuales todavía permanecen activos. Otro accidente geográfico que caracteriza a este país son dos lagos de grandes dimensiones, el Nicaragua y el Managua. El Lago de Nicaragua es el segundo más largo de América Latina. Los espesos bosques tropicales y las sabanas completan esta vista panorámica.

Su clima es tropical en las tierras bajas, con una temperatura media anual que varía según las regiones entre los 20 y los 28 grados. En las montañas es más frío.

La fauna de este país se compone de pumas, jaguares, monos, osos hormigueros, cocodrilos, víboras, tortugas, papagayos... La vegetación nicaragüense es muy variada. Destacan árboles como el pino, el cedro y el bálsamo, con los que se produce madera.

Su economía se basa en la agricultura. Los principales cultivos que se exportan al extranjero son el algodón y el café. Nicaragua también exporta carne vacuna, productos lácteos, mariscos, maderas y oro.

Edificio Colonial. GRANADA.

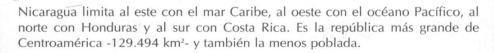

Edificio Colonial. LEÓN.

Trajes típicos.

Bahía. SAN JUAN DEL SUR.

Lago de Nicaragua.

# FICHA RESUMEN

## COMUNICACIÓN

- **Describir lugares**
  *Doñana es un parque muy grande con dunas y marismas.*
- **Hacer recomendaciones: expresar necesidad u obligación**
  *Para reducir la contaminación, hay que usar menos los coches.*
  *Las botellas se deben tirar en los contenedores de vidrio.*
- **Hacer recomendaciones: presentar una solución posible**
  *Es conveniente ahorrar energía.*
  *Se pueden hacer campañas para sensibilizar a la población.*
- **Expresar condiciones con efectos futuros**
  *Si no usamos más el transporte público, aumentará la contaminación.*
  *Aumentará la contaminación si no usamos más el transporte público.*
- **Opinar**
  *Estoy seguro de / Yo diría que todo se va a solucionar.*
- **Expresar ignorancia**
  - *¿Sabes cuando llega Juan?*
  - *No lo sé. / Ni idea. / No me acuerdo.*
- **Mostrar acuerdo y desacuerdo**
  - *El examen era muy difícil.*
  - *Es verdad. Tienes razón.*
  - *No, qué va... Te equivocas: sólo había que estudiar un poco.*

## GRAMÁTICA

- **Los pronombres relativos con y sin preposición**
  *En el parque, hay guías que ayudan a los excursionistas.*
  *Doñana es un parque muy grande en el que puedes realizar paseos a caballo.*
- **Los superlativos**
  *El Teide es la montaña más alta de España.*
  *Es el monumento que más me gusta.*

## VOCABULARIO

- **Animales salvajes**
  *El ciervo, el lince, el gamo, la cigüeña, el águila, el guepardo, el panda, la ballena, el delfín, el chimpancé...*
- **Paisajes naturales**
  *El desierto, la selva, la cordillera, la duna, la laguna, el bosque, la marisma, la llanura, el volcán, el océano, el mar, el río, el lago...*
- **La ecología y los problemas medioambientales**
  *Proteger las especies en peligro, reciclar el papel, plantar árboles, usar energías limpias...*
  *La deforestación, la contaminación, los incendios forestales, el efecto invernadero...*

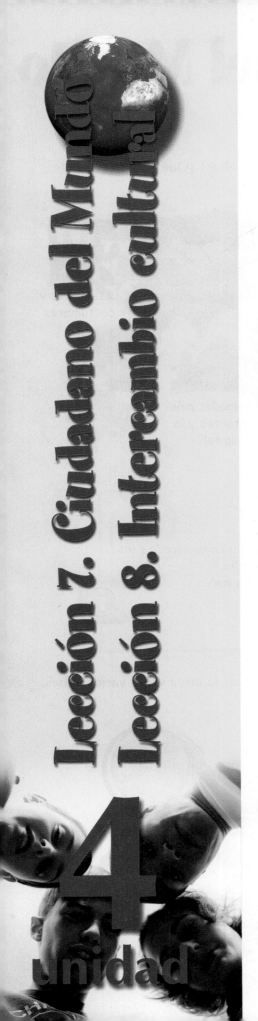

Lección 7. Ciudadano del Mundo
Lección 8. Intercambio cultural

4

unidad

# Contenidos

## COMUNICACIÓN

- Expresar los intereses.
- Describir una tarea.
- Indicar cómo tiene que ser algo o alguien.
- Hablar de intercambios.
- Valorar una experiencia pasada.
- Transmitir informaciones y preguntas.

## GRAMÁTICA

- El pronombre *lo*.
- Los pronombres y adjetivos indefinidos.
- El estilo indirecto en pasado.
- Las interrogativas indirectas.
- El Pretérito Pluscuamperfecto.
- Uso de los tiempos del pasado.

## VOCABULARIO

- Intereses turísticos.
- Valoraciones.

## PROYECTO

- Una anécdota durante el intercambio.

## LECTURAS

- Chic@s en la red: test cultural.

**1.** ¿Qué países te gustaría conocer? ¿Qué te atrae de ellos? ¿Qué es lo que más te interesa?

Los museos más importantes

La vida cotidiana

La gastronomía

El sistema educativo

Las fiestas y costumbres

Los grandes escritores y poetas

El cine

La protección de la naturaleza

Las ciudades más importantes y la capital

Los grandes inventores

| Lo que | (más / menos) (realmente) (sí / no) (de verdad) | me atrae me interesa me gusta | es saber cómo vive la gente. es el cine. son los museos. |
|---|---|---|---|
| Lo | (más / menos) (realmente) | atractivo interesante importante | |

**2.** **a. Virginia, Rubén y Víctor tienen que hacer la tarea sobre varios países. Escucha y contesta a las preguntas.**

¿Cuál es la tarea?
¿Qué le interesa a Virginia?
¿Y a Víctor?
¿Qué necesitan para hacer su trabajo?
¿Qué van a hacer?

**b.** Escucha y completa las frases con "algo", "alguien", "algún", "algunas", "algunos", "nada" "nadie" y "ninguna".

- Tenemos que hacer intercambios por Internet con ▨▨▨▨▨ estudiantes.
- Y conocer ▨▨▨▨▨ de sus países: cultura, información geográfica...
- Nos podemos poner en contacto con ▨▨▨▨▨ estudiantes franceses e ingleses.
- Lo que más me gustaría es estudiar ▨▨▨▨▨ país lejano.
- Yo no conozco a ▨▨▨▨▨ . Además, no tenemos ▨▨▨▨▨ información previa.
- Como no tenemos ▨▨▨▨▨ , lo tenemos que buscar todo.
- No, no tengo ▨▨▨▨▨ en casa. Pero en la biblioteca del instituto habrá ▨▨▨▨▨ .
- Seguro que hay un foro o un lugar donde poder contactar con ▨▨▨▨▨ de otro país.

**c. Completa la tabla de los indefinidos.**

|  | AFIRMATIVO | NEGATIVO |
|---|---|---|
| Para personas |  |  |
| Para cosas |  |  |

**3.** **a. Observa el esquema y comprueba tus resultados.**

| LOS INDEFINIDOS | | |
|---|---|---|
|  | Afirmativo | Negativo |
| Para acciones y cosas | Algo | Nada |
| Para cosas y personas | Algún / alguno(s) / alguna(s) | Ningún / ninguno / ninguna |
| Para personas | Alguien | Nadie |

**b. Relaciona las preguntas con las respuestas. Cada pregunta tiene dos respuestas.**

1. Sí, el baloncesto.
2. Con Marta.
3. No, nada.
4. Sí, mi amigo Matías.
5. Sí, dos, de inglés y de ciencias.
6. No, y no tengo ningún libro.
7. No, ninguno. ¡Qué suerte!
8. A nadie, no tenía ganas.
9. No, a nadie.
10. No, no me llamó nadie.
11. Sí. Vi una película con Pedro.
12. Con nadie, me quedé sola en casa.
13. Sí, y tengo algunos libros de aventuras.
14. Sí, tengo algunos amigos del *chat*.
15. A José, para quedar con él.
16. No, ninguno. No me gustan.

a. ¿Te llamó alguien ayer? 4, 10
b. ¿Te gusta leer? 13, 6
c. ¿Practicas algún deporte de equipo? 1, 16
d. ¿Con quién hablaste ayer por la tarde? 2, 12
e. ¿A quién llamaste el sábado? 15, 8
f. ¿Hiciste algo interesante el domingo? 11, 3
g. ¿Conoces a alguien en España? 9, 14
h. ¿Tienes algún trabajo para mañana? 5, 7

**c. Contesta ahora personalmente a cada pregunta.**

**1.** a. Lee este anuncio.

### INTERLINGUA

**Intercambio de estudiantes**
**Estancias en el extranjero para jóvenes**
**de 16 a 18 años**

- Vivirás con una familia: compartirás sus actividades y sus comidas y practicarás su lengua.
- Por las mañanas, asistirás a clases.
- Por las tardes, realizarás actividades deportivas y culturales.

b. ¿Te gustaría hacer un intercambio de este tipo? ¿Cuáles son sus ventajas e inconvenientes?

Como la familia no habla tu idioma, para comunicarte con ella tienes que hablar el suyo y aprendes muchas cosas.

Yo creo que también te puedes sentir un poco solo, lejos de tu familia y de tus amigos.

 **2.** a. Virginia hizo un intercambio y se lo cuenta a Rubén. Escucha y contesta a las preguntas.

¿Quería ir Virginia de intercambio?
¿Le gustó la experiencia?
¿Es cara la experiencia?
¿Qué le ocurrió durante su estancia?

**b. Al día siguiente Rubén le cuenta a Víctor la conversación con Virginia. Escucha, relaciona y escribe los verbos que faltan.**

**Virginia dijo:**

- Un día repetiré la experiencia.
- Mi familia es muy simpática.
- Visité los museos.
- Conocí a un chico estupendo.

**Rubén cuenta:**

- Me dijo que... los museos.
- Me contó que su familia... muy simpática.
- También me dijo que en una fiesta... a un chico estupendo.
- Me dijo que... la experiencia.

**3.** **a. Observa.**

### TRANSMITIR LAS PALABRAS DE OTRA PERSONA

Me dijo que + Imperfecto — Transmitir informaciones
Me dijo que + Pluscuamperfecto — Transmitir acontecimientos pasados
Me dijo que + Condicional — Transmitir planes y proyectos

### REPETIR UNA PREGUNTA

Me preguntó que cuándo / cómo / qué / si

**b. Transforma estas preguntas.**

¿Cuánto tiempo dura el intercambio?

Me preguntó que cuánto duraba el intercambio.

¿Cuál es el apellido de tu familia de intercambio?

¿Qué ciudades visitarás?

¿Viajarás solo?

¿Es un país interesante?

¿Irás a muchas fiestas?

**4.** **a. Observa.**

### EL PLUSCUAMPERFECTO

**Haber en Imperfecto + Participio**

| | | |
|---|---|---|
| Yo | había | visitado |
| Tú, vos | habías | escrito |
| Él/ella, usted | había | visto |
| Nosotros/as | habíamos | comido |
| Vosotros/as | habíais | ... |
| Ellos/as, ustedes | habían | ... |

**b. ¿Qué le contó Virginia a Rubén de su intercambio? Transforma las frases en estilo indirecto.**

Me lo pasé muy bien. Dijo que se lo había pasado muy bien.

Conocí a un chico muy simpático.

Aprendí mucho y pude practicar la lengua.

Visité muchos museos y ciudades.

Estuve en muchas fiestas de mis nuevos amigos.

Tuve que trabajar para ganar algo de dinero.

Al principio no quería ir, pero, al final, me gustó mucho la experiencia.

**1.** **Piensa en el idioma español y completa las frases.**

- Lo que más me atrae del español...
- Lo más difícil...
- Lo que realmente me interesa...
- Lo que menos me gusta...

- Lo más divertido...
- Lo más fácil...
- Lo que de verdad quiero aprender...
- Lo más importante para comunicarse...

**2.** **Un viaje a Chile**
**a. Lee y completa el texto con los indefinidos de la lista.**

- alguien
- algo
- ninguna
- algún
- nadie
- nada
- algunas

El año pasado, participamos en un concurso para ganar un viaje a Chile. Teníamos que redactar un texto muy completo sobre dos aspectos de ...algún... país hispanoamericano (historia, geografía, literatura, deporte, música, gastronomía...). Elegimos Chile, porque era el país que íbamos a visitar.

Al principio, ...nadie... del grupo conocía Chile. No teníamos ...ninguna... información ni sabíamos ...nada... de ese país. Pero nuestro profesor conocía a ...alguien... en Madrid que era de Santiago (la capital). Le escribimos un *e-mail* y él nos mandó la dirección de ...algunas... páginas *web* en las que podíamos encontrar ...algo... interesante y folletos turísticos.

**b. Aquí tienes algunas de las actividades que hicieron en Chile. Relaciona las dos partes de cada frase.**

- Asistieron
- Visitaron
- Practicaron deportes
- Descubrieron hermosos
- Pasearon por las
- Probaron
- Participaron en
- Subieron a
- Observaron
- Navegaron por

- playas.
- los Andes.
- la fauna y la flora.
- de aventura (piragüismo, equitación...).
- a conferencias sobre biodiversidad, arqueología, gastronomía...
- comida típica.
- paisajes.
- los ríos.
- fiestas populares.
- los museos de la capital.

**3.** Los mensajes para Julio

**a.** Lee los mensajes que le dejan sus amigos y su madre en el contestador.

Julio, soy mamá. Nunca estás en casa... Bueno, esta noche volveré un poco más tarde de la oficina, porque tengo mucho trabajo...

Hola, soy Natalia. ¿Quieres ir a la fiesta de Álex el sábado? Yo voy a ir con Elena.

¿Julio? Soy Pedro. Mira... Esta tarde no puedo salir, porque tengo muchos deberes y tengo que ir al centro comercial con mi madre.

Hola, Julio. Soy Toñi. Ayer no te llamé porque estaba enferma. ¿Qué haces esta tarde? Tengo el último CD de Shakira. ¿Quieres escucharlo en mi casa?

Julio, soy Rafa. Ayer Elena me dio un libro para ti. Esta noche te lo llevaré.

**b. Su hermana le transmite todos los recados.**

Llamó mamá: dijo que ⎯⎯⎯⎯⎯⎯⎯⎯⎯⎯⎯⎯⎯⎯⎯⎯⎯⎯

Luego, llamó Natalia: ⎯⎯⎯⎯⎯⎯⎯⎯⎯⎯⎯⎯⎯⎯⎯⎯⎯⎯

También te dejó un recado Pedro: ⎯⎯⎯⎯⎯⎯⎯⎯⎯⎯⎯⎯⎯⎯

Luego, llamó Toñi: ⎯⎯⎯⎯⎯⎯⎯⎯⎯⎯⎯⎯⎯⎯⎯⎯⎯⎯

También llamó Rafa: ⎯⎯⎯⎯⎯⎯⎯⎯⎯⎯⎯⎯⎯⎯⎯⎯⎯⎯

**4.** Relaciona las frases y conjuga los verbos en Imperfecto, Indefinido o Pluscuamperfecto.

1. Ayer me (poner) *puse* el jersey azul
2. En la excursión, (comer, nosotros) ⎯⎯⎯⎯ los bocadillos
3. El sábado, Julián (estar) ⎯⎯⎯⎯ muy cansado
4. El lunes, Juan me (mandar) ⎯⎯⎯⎯ una postal de todos los monumentos
5. Los jugadores (estar) ⎯⎯⎯⎯ muy contentos
6. El jueves, Elena (llegar) ⎯⎯⎯⎯ tarde al instituto
7. Lola no (ir) ⎯⎯⎯⎯ al cine con sus amigos
8. Alicia y Pedro (estar) ⎯⎯⎯⎯ muy cansados
9. Cuando (llegar, nosotros) ⎯⎯⎯⎯ a casa de José,

a. porque (ganar, ellos) ⎯⎯⎯⎯ la final.
b. que me (comprar) ⎯⎯⎯⎯ mis primos por mi cumpleaños.
c. porque (bailar, ellos) ⎯⎯⎯⎯ mucho en la fiesta de cumpleaños de un compañero del instituto.
d. porque su despertador no (sonar) ⎯⎯⎯⎯
e. porque (trabajar, él) ⎯⎯⎯⎯ mucho.
f. la fiesta no (empezar) ⎯⎯⎯⎯ porque todavía no (llegar) ⎯⎯⎯⎯ nadie.
g. porque ya (ver, ella) ⎯⎯⎯⎯ la película.
h. que (visitar, él) ⎯⎯⎯⎯ durante su viaje.
i. que nos (preparar) ⎯⎯⎯⎯ mi madre.

# Proyecto

## Una anécdota durante el intercambio

**1. a.** Durante el intercambio, Virginia mandó un correo electrónico a su amiga Sara. Léelo.

---

🖳 Enviar ahora    🕰 Enviar más tarde    🖫    ✒ Añadir archivos adjuntos    ✒ Firma ▾    🖳 Opciones ▾    ▦

http//

---

Querida Sara:

Por fin tengo tiempo para escribirte. Lo estoy pasando fenomenal. Tengo muchísimas cosas que contarte. Aquí van algunas... Ayer, como teníamos la tarde libre, quedé con Borja para ir al cine. Tenía que pasar a buscarme a las tres a la casa donde estoy viviendo, pero llegó a las tres y media porque había perdido el plano de la ciudad y no sabía el camino. En el autobús, me di cuenta de que había olvidado el dinero y tuvimos que regresar a casa. Cuando llegamos, no había nadie, todos habían salido, y yo no tenía las llaves. Así que tuvimos que esperar casi una hora delante de la puerta.

---

**b.** Completa estas frases. Luego, di en qué tiempo está cada verbo. En cada frase, ¿qué acción se desarrolla primero? ¿En qué tiempo está?

- Borja llegó tarde porque ▬▬▬▬▬▬▬▬▬▬▬▬▬ el plano de la ciudad.
- En el autobús, Virginia se dio cuenta de que ▬▬▬▬▬▬▬▬▬▬ el dinero.
- Cuando llegaron, todos ▬▬▬▬▬▬▬▬▬▬▬ .

**2. Recuerda:**

| USO DE LOS TIEMPOS DEL PASADO | |
|---|---|
| El Indefinido | Indica acciones. |
| El Imperfecto | Describe las situaciones en las que se desarrolla una acción. |
| El Pluscuamperfecto | Indica una acción pasada anterior a otra acción o a una situación. |

**3.** Virginia cuenta el final de la historia, pero el ordenador tiene un virus y lo ha confundido todo.

**a.** Primero lee estas frases y pon los verbos en la forma correcta del Indefinido.

Cuando (volver) ▬▬▬▬ la madre, no (poder, nosotros) ▬▬▬▬ entrar. (Sentarse, nosotros) ▬▬▬▬ en un banco a esperar. El padre de la familia (llegar) ▬▬▬▬ diez minutos después. Al fin (poder, nosotros) ▬▬▬▬ entrar. Aunque tarde, (irse, nosotros) ▬▬▬▬ al cine. (Llegar, nosotros) ▬▬▬▬ al cine. Luego, (ir, nosotros) ▬▬▬▬ a una cafetería. (Decidir, nosotros) ▬▬▬▬ pasar el resto del día juntos.

**b.** Ahora lee estas otras frases y pon el verbo en la forma correcta del Imperfecto.

1. (Ser) ▬▬▬▬ ya las cinco.
2. (Estar, nosotros) ▬▬▬▬ cansados.
3. Allí (estar) ▬▬▬▬ Isabel y Pedro.

4. (Tener, nosotros) ▬▬▬▬ mucha hambre.
5. No (tener, nosotros) ▬▬▬▬ nada que comer.

**c.** Finalmente, completa estas otras frases con la forma correcta del Pluscuamperfecto. Luego relaciona las frases y escribe la historia.

1. (Olvidar, él) ▬▬▬▬ su maletín.
2. Ellos también (llegar) ▬▬▬▬ tarde al cine.
3. (Dejarse, ella) ▬▬▬▬ las llaves dentro.

4. (Comprar, nosotros) ▬▬▬▬ las entradas antes.
5. La película ya (empezar) ▬▬▬▬ .

# CHIC@S en la red

## LA PÁGINA *WEB* CULTURAL

### ¿Cuánto sabes de España e Hispanoamérica?

Google

Atrás  Adelante  Detener  Actualizar  Página principal  Favoritos  Historial  Buscar  Autorrelleno  Mayor  Menor  Imprimir  Correo  Preferencias

Dirección: http://www.

Ir

Página inicial de actualidad   Apple   iTools   Soporte de Apple   Apple Store   Productos para Mac   Microsoft Office

**El español es:**
- [ ] La segunda lengua más hablada del mundo.
- [ ] La tercera lengua más hablada del mundo.
- [ ] La cuarta lengua más hablada del mundo.

**¿En qué ciudad está el Museo del Prado?**
- [ ] En Barcelona.
- [ ] En Madrid.
- [ ] En Granada.

**¿Cuántos habitantes tiene España?**
- [ ] Más de 40 millones.
- [ ] Menos de 40 millones.

**¿Dónde se baila mucho el tango?**
- [ ] En México.
- [ ] En Argentina.
- [ ] En Chile.

**¿A qué país pertenece la isla de Pascua?**
- [ ] A Chile.
- [ ] A Brasil.
- [ ] A Nicaragua.

**¿Dónde están las islas Canarias?**
- [ ] En el Atlántico.
- [ ] En el Mediterráneo.
- [ ] En el Cantábrico.

**¿Qué país no atraviesan los Andes?**
- [ ] Bolivia.
- [ ] Paraguay.
- [ ] Argentina.

**¿Cuál es la capital de Venezuela?**
- [ ] La Paz.
- [ ] Bogotá.
- [ ] Caracas.

**¿Cuál es el país más grande?**
- [ ] Bolivia.
- [ ] Uruguay.
- [ ] Guatemala.

**¿En qué país está el Machu Picchu?**
- [ ] En Perú.
- [ ] En Bolivia.
- [ ] En Argentina.

**¿Qué producto no procede de Sudamérica?**
- [ ] El tomate.
- [ ] El chocolate.
- [ ] La naranja.

**¿Qué día llegó Colón a América?**
- [ ] El 12 de octubre de 1492.
- [ ] El 16 de octubre de 1492.
- [ ] El 20 de noviembre de 1492.

**¿Qué país no es de América Central?**
- [ ] Guatemala.
- [ ] Panamá.
- [ ] Uruguay.

**¿Cuál es la moneda de México?**
- [ ] El dólar.
- [ ] El peso.
- [ ] El euro.

**¿Qué país de América Central tiene un canal muy famoso?**
- [ ] Panamá.
- [ ] Honduras.
- [ ] Nicaragua.

**¿Qué países separa el lago Titicaca?**
- [ ] Perú y Bolivia.
- [ ] México y Estados Unidos.
- [ ] Chile y Argentina.

**¿Dónde vivían los aztecas?**
- [ ] En Perú.
- [ ] En Chile.
- [ ] En México.

**Marca la respuesta correcta.**

# Tarea final

## Escribir una redacción sobre un tema

### Elige uno de estos:

- Explica cómo es tu país y sus costumbres: haz preguntas para informarte de cómo viven los jóvenes de otros países.

- Propón un debate (ecológico, social, cultural...) y da tu opinión: arguméntala y anima a otras personas a participar en un foro.

- Cuenta una experiencia de clase interesante.

**1. Primero prepara el vocabulario y las expresiones.**

a. Haz una lista de palabras y expresiones importantes que vas a utilizar.
b. Piensa qué vas a escribir, qué temas vas a tratar, y organízalos.

Primero...
Segundo...
Tercero...
Por último...

**2. Ahora escribe tu redacción y envíala a chicos-chicas@edelsa.es Las mejores se publicarán. Tal vez recibas respuestas de otros estudiantes y se realice un foro con los distintos temas.**

---

**chicos-chicas@edelsa.es**

**Nuevo mensaje**

Nombre:

Dirección electrónica:

Texto del mensaje:

---

# FICHA RESUMEN

 **COMUNICACIÓN**

- **Expresar los intereses**
  *Lo que más me gusta de España son los paisajes. Lo que me interesa es saber cómo vive la gente.*
- **Transmitir las palabras de otra persona**
  *Virginia me contó que había hecho nuevos amigos.*
- **Repetir una pregunta**
  *Me preguntó que dónde habíamos estudiado.*
  *Le pregunté que si quería venir a la fiesta.*
- **Contar acontecimientos pasados**
  *Ayer, como tenía la tarde libre, quedé con un amigo para ir al cine.*

**GRAMÁTICA**

- **El pronombre *lo***
  *Lo que más me interesa es la música.*
  *Lo menos interesante son los parques.*
- **Los pronombres y adjetivos indefinidos**
  *Algo; nada; algún, alguno(s), alguna(s); ningún, ninguno, ninguna.*
- **El estilo indirecto en pasado**
  *Me contó que había estado en muchas fiestas. Me preguntó si viajaría solo.*
- **El Pretérito Pluscuamperfecto**
  **Verbos regulares:** *hablar > había hablado, aprender > había aprendido, vivir > había vivido.*
  **Verbos irregulares:** *ver > había visto, poner > había puesto, hacer > había hecho, volver > había vuelto, escribir > había escrito, abrir > había abierto...*
- **Uso de los tiempos del pasado**
  *Cuando llegó Juan yo ya me había marchado porque tenía cosas que hacer.*

 **VOCABULARIO**

- **Intereses turísticos**
  *Los museos, la gastronomía, las fiestas, las costumbres, el cine, las ciudades, la literatura, la poesía...*

# Ámbito 3
# Público

### 1. OBJETIVO:

En estas dos unidades vas a aprender a describir objetos, a expresar tu opinión y a discutir ideas, a imaginar y describir algo que no conoces, a indicar las características que debe tener y a expresar hipótesis.

### 2. PREPARACIÓN:

Antes de empezar piensa en todo el vocabulario y las expresiones que ya conoces sobre el tema:

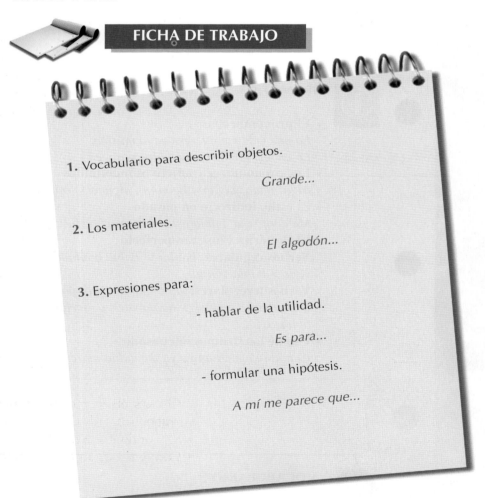

**FICHA DE TRABAJO**

1. Vocabulario para describir objetos.

Grande...

2. Los materiales.

El algodón...

3. Expresiones para:

- hablar de la utilidad.

Es para...

- formular una hipótesis.

A mí me parece que...

### 3. TAREA:

Después de las dos unidades inventarás un objeto y lo describirás. Esta redacción la puedes mandar a chicos-chicas@edelsa.es y participar en un concurso: se publicarán las mejores. Así tal vez puedas conocer a chicos de otros países.

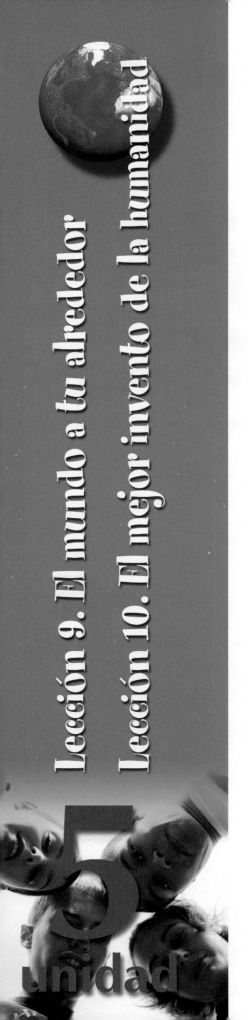

# Contenidos

## COMUNICACIÓN

- Describir objetos (forma, tamaño, material, etc.).
- Indicar la utilidad de un objeto.
- Hablar de los mejores inventos de la humanidad: inventor, fecha de invención, etc.
- Dar la opinión.
- Rechazar una idea expresada por otra persona.
- Exponer ventajas.

## GRAMÁTICA

- El pronombre *se*.
- Régimen preposicional de los verbos.
- Pronombres relativos con preposición.
- Repaso de los indefinidos.
- Morfología del Presente de Subjuntivo regular y algunos irregulares muy frecuentes.
- Expresiones de opinión con Indicativo y con Subjuntivo, contraste.

## VOCABULARIO

- Formas, tamaños, materiales, componentes, etc., para describir objetos (sustantivos y adjetivos).
- Inventos e inventores.

## PROYECTO

- Describir un objeto.

## LECTURAS

- Chic@s en la red: en la página *web* de los inventores argentinos.
- El mundo en tu mochila: El Salvador.
- Con & texto: un cuadro de Antonio López.

# El mundo a tu alrededor

**1.** **a. Mira esta situación. ¿Te ha ocurrido alguna vez?**

Necesito un... ¿Cómo se llama? Una cosa para pegar papeles, que es adhesiva y transparente.

¡Ah! El celo.

**b. Y tú, ¿qué haces cuando estás hablando en español y no sabes una palabra?**

- [ ] Paro la conversación y busco la palabra en el diccionario.
- [ ] La digo en mi idioma, a lo mejor se dice igual o parecido en español.
- [ ] La describo, para ver si me entienden.
- [ ] Hago un dibujo. Pero no siempre me sale bien.
- [ ] Otro: _____

**c. Vamos a aprender a describir objetos. Observa.**

### DESCRIBIR OBJETOS

**Forma**: *Es redondo, cuadrado, rectangular, triangular, ovalado, plano, puntiagudo...*
**Tamaño:** *Es ancho / estrecho, largo / corto, grueso / fino, grande / pequeño, ligero / pesado...*
**Material:** *Es de papel / cartón / metal / lana / plástico / madera / cristal / tela / piel...*
**Otros detalles:** *Es plegable, ruidoso / silencioso, duro / blando, frágil, adhesivo, portátil, rápido / lento, suave / rugoso...*
*Funciona con pilas, electricidad, gasolina, batería.*
*Tiene una / dos... / varias partes.*
*Sirve para cortar, pegar, andar...*

 **2.** **a. Matilde y Rubén están jugando a adivinar el nombre de un invento. Escucha a los dos amigos e intenta adivinar tú también qué objeto es.**

1. _____
2. _____
3. _____
4. _____
5. _____

**b. Piensa en un objeto, descríbelo y tus compañeros dirán qué es.**

Es un objeto de metal. Tiene dos partes casi iguales. Este instrumento se usa para cortar papeles, telas...

Sí.

Son las tijeras.

**3.** **a. Observa.**

---

### HABLAR DE LA UTILIDAD

Sirve(n)
Se usa(n) } para + Infinitivo

*El detergente sirve para lavar la ropa.*
*Es un producto que se usa para lavar la ropa.*

### HABLAR DE FORMA IMPERSONAL

SE + verbo en tercera persona del singular o del plural

*Los libros se compran en las librerías.*
*Son objetos que se compran en las librerías.*

---

**b. ¿Para qué sirven / se usan estos objetos? Relaciona y escribe frases como en el ejemplo.**

- un aparato
- una herramienta
- una prenda
- un recipiente
- un instrumento

- abrir y cerrar puertas
- protegerse del frío
- hablar
- conservar los alimentos
- borrar
- cortar
- retratar
- grabar música

Las tijeras sirven / se usan para cortar. / Son una herramienta que sirve / se usa para cortar. / Son herramientas que sirven / se usan para cortar.

**c. Observa la preposición que acompaña a cada verbo. Luego, completa y relaciona las frases.**

| | | |
|---|---|---|
| guardar algo en | beber en un recipiente | cocinar en |
| cerrar con | mirar a | curar con |

El estuche es un recipiente ——→ *en el que / el cual se guardan* ↘ para saber la hora.
La cacerola es un recipiente _____ bolígrafos.
Los medicamentos son productos _____ líquidos.
Las llaves son herramientas _____ las enfermedades.
El reloj es un aparato _____ los alimentos.
Los vasos son recipientes _____ las puertas.

# El mejor invento de la humanidad

**1.** **a. Observa estos objetos, seguro que los usas muy a menudo. ¿Sabes quién inventó cada uno? Lee las frases y completa el cuadro.**

- Ladislao Biro, un argentino, fabricó el primer bolígrafo.
- Charles Babbage era un inglés que ideó su máquina en 1856.
- Un italiano hizo su invento en 1801.
- Se inventó el teléfono en 1860.
- El teléfono lo inventó un italiano.
- Hay dos inventores italianos muy famosos. Uno inventó la pila eléctrica. El otro se llama Antonio Meucci.
- John Logie Baird realizó su invento en 1926.
- La calculadora es un invento alemán.
- La idea original de la primera computadora fue de un inglés.
- El argentino creó su invento en 1938.
- Alejandro Volta era italiano.
- Wilhelm Schickard era un alemán que creó su invento en 1624.
- La televisión, ideada por un escocés, es un gran invento de la humanidad.

| Invento | Inventor | Nacionalidad | Fecha de creación |
|---------|----------|--------------|-------------------|
| 1. | | | |
| 2. | | | |
| 3. | | | |
| 4. | | | |
| 5. | | | |
| 6. | | | |

**b. Organiza los inventos según te parezcan más útiles e importantes.**

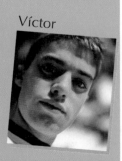

Víctor

**2.** **Escucha a Víctor y Virginia hablar de algunos inventos. Luego, relaciona las partes de cada frase.**

- Cree que la tele
- Piensa que en el futuro
- No cree que todo el mundo
- Cree que, a finales de siglo, el hombre
- Piensa que

- nos visitarán
- habrá
- irá
- es
- pueda

- miles de canales.
- extraterrestres.
- comprarse una computadora.
- un invento muy importante.
- de vacaciones a Marte.

Virginia

- No cree que la tele
- Tampoco cree que dentro de unos años
- Cree que muy pronto toda la gente
- No cree que

- haya
- existan
- sea
- estará

- conectada a la Red.
- miles de canales.
- extraterrestres.
- el invento más importante.

 **3.** **Observa.**

### EXPRESAR LA OPINIÓN

**Pienso / Creo que + Indicativo**
*Creo que la televisión **es** uno de los inventos más importantes.*

**No creo que + Presente de Subjuntivo**
*No creo que **sea** el invento más importante. Hay otros.*

## EL PRESENTE DE SUBJUNTIVO

| Verbos regulares | hablar | comer | escribir |
|---|---|---|---|
| Yo | hable | coma | escriba |
| Tú/vos | hables | comas | escribas |
| Él/ella, Ud. | hable | coma | escriba |
| Nosotros/as | hablemos | comamos | escribamos |
| Vosotros/as | habléis | comáis | escribáis |
| Ellos/ellas, Uds. | hablen | coman | escriban |

**Verbos irregulares:**
dar: dé, des, dé, demos, deis, den.
estar: esté, estés, esté, estemos, estéis, estén.
ir: vaya, vayas, vaya, vayamos, vayáis, vayan.
saber: sepa, sepas, sepa, sepamos, sepáis, sepan.
ser: sea, seas, sea, seamos, seáis, sean.
tener: tenga, tengas, tenga, tengamos, tengáis, tengan.

 **4.** **Piensa en el invento que te parece más importante para la humanidad. Con tus compañeros discute tus ideas.**

### Algunas ideas

| la imprenta | el reloj | el calendario | el microscopio |
| los medicamentos | el jabón | la brújula | la lata de conserva |
| la rueda | las cerillas | | |

Para mí, un invento importantísimo es la imprenta. Sin la imprenta, no tendríamos libros. Gracias a ella casi todo el mundo lee y está informado de todo.

Yo no creo que la imprenta sea el invento más importante. Para mí son los medicamentos, porque permiten salvar vidas.

### EXPLICAR

Para mí, es...
Primero, porque... Además / También...
Por otra parte...
Gracias a... podemos...
Sin el/la... no + Condicional

## 1. Objetos

**a. Lee las definiciones y completa el crucigrama.**

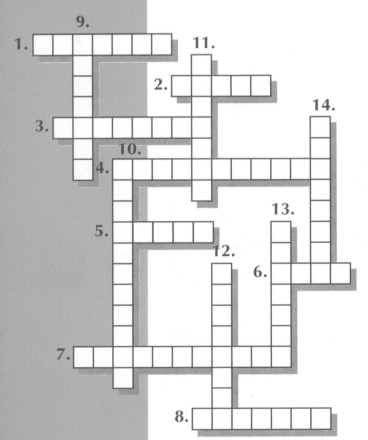

1. Es de una tela muy fuerte. Se usa para transportar cosas, por ejemplo el material escolar, y se lleva a la espalda.
2. Es un aparato pequeño, normalmente de forma circular, que tiene agujeros por los que sale agua. Se usa para lavarse y está en el cuarto de baño.
3. Es una prenda de vestir unisex. Puede ser de algodón, de cuero, de pana, de lana, de tela vaquera. Cubre las piernas hasta los pies.
4. Es un reloj que se pone en la mesilla. Puede ser eléctrico o mecánico. Sirve para despertarse por las mañanas.
5. Es bastante grande, es de muchos materiales (hierro, plástico...), tiene puertas y ruedas y sirve para desplazarse. Funciona con gasolina o gasóleo.
6. Puede ser redonda, cuadrada o rectangular. Es de madera pero también puede ser de hierro o de plástico. Puede estar en la cocina, en el comedor o en la terraza. Normalmente, se usa para comer encima.
7. Es un electrodoméstico bastante grande que se usa para conservar los alimentos y las bebidas.
8. Puede ser de cristal o de plástico. Existen de varios tamaños. Normalmente, es de forma cilíndrica. Se usa para conservar líquidos.
9. Normalmente es de metal, pero también puede ser de plástico. Es muy ligera y puede ser grande o pequeña. Se usa para comer alimentos líquidos.
10. Es un libro que contiene la definición de las palabras clasificadas por orden alfabético.
11. Pueden ser de lana o de piel. Son muy ligeros. Se usan en invierno y sirven para proteger las manos del frío.
12. Es un aparato pequeño y ligero que sirve para hablar a distancia.
13. Es un mueble de madera, tiene puertas y sirve para guardar la ropa.
14. Es ligero y pequeño. Se abre y se cierra. Se usa cuando llueve y sirve para protegerse de la lluvia.

**b. ¿Qué tienen en común todos estos objetos? Puedes usar las expresiones del cuadro.**

| sirven para... | son de... | se usan para... | funcionan con... |
|---|---|---|---|

| | | |
|---|---|---|
| un bolígrafo un lápiz | un libro un cuaderno | un coche una moto |
| una cuchara un tenedor | un móvil un teléfono | el jabón el champú |
| un billete una moneda | una cazuela una sartén | unos zapatos unas botas |
| un jersey un abrigo | una enciclopedia un diccionario | un vaso una taza |

**2.** Verbos en Subjuntivo

**a.** Para salir, tienes que pasar por las casillas con formas verbales en Presente de Subjuntivo, pero sólo puedes pasar por una misma forma una sola vez y circular horizontal y verticalmente.

| pidas | digamos | salen | diciendo | quieras | salgan | abran | seáis | salgan |
|-------|---------|-------|----------|---------|--------|-------|-------|--------|
| vuelves | duerma | pidas | pondrían | oigan | sepamos | oiga | vuelvas | tendré |
| haz | estén | se divierta | sepamos | juegues | veis | dijiste | tengamos | bailarían |
| tomaré | duerma | digamos | estén | ten | esperas | oyen | miren | abran |
| vuelto | conozco | miren | vuelvas | den | di | vuelva | cierre | seguimos |
| diría | voy | hagamos | pongan | miren | estén | tengamos | hagamos | sean |
| siga | querrán | sigan | ganen | puedas | den | vaya | pongan | cené |
| pon | vaya | conozcan | viendo | cierre | empecé | sigues | conozcan | cuenten |
| hagamos | vio | enciendas | expliquen | comamos | empiece | esperes | ganen | hagas |
| cierre | ve | den | dicho | puedas | dio | escribas | enciendas | repitan |

**b.** Ahora, clasifica los Infinitivos en el cuadro.

| Regulares | e > ie, o > ue | e > i | e > ie/i | o > ue/u | 1ª pers. irregular en Presente de Indicativo | Otros verbos irregulares |
|-----------|----------------|-------|----------|----------|---------------------------------------------|--------------------------|
|           |                |       |          |          |                                             |                          |

**3.** Los ordenadores e Internet han cambiado nuestras vidas.

**a.** Completa las frases con el Presente de Indicativo o con el Presente de Subjuntivo.

• Pienso que los ordenadores _____ (ocupar) ahora el tiempo que deberíamos dedicar a los demás.

• Yo creo que los ordenadores te _____ (hacer) la vida más fácil.

• ¿Os imagináis un aeropuerto sin ordenadores? No creo que _____ (poder) prescindir de ellos.

• No creo que la informática _____ (ser) la solución para todos los problemas: pierdes tiempo, te pones nervioso, ves menos a los amigos...

• Para mí, _____ (depender, nosotros) demasiado de las Nuevas Tecnologías. ¿Os acordáis del cambio de milenio?

• Internet ha sido una revolución. Creo que _____ (ser) muy importante tener un acceso rápido a la información.

**b.** ¿Tú qué opinas? Escribe una pequeña redacción en tu cuaderno utilizando: "para mí", "primero", "porque", "además", "por otra parte" y "gracias a".

# Proyecto

## Describir un objeto

**1. a. Lee este texto y dibuja el objeto.**

- Es una máquina bastante pequeña y ligera.
- Normalmente es rectangular, pero también existen de otras formas. Funciona con una pila pequeña.
- Esta mide 6 centímetros de ancho por 9 centímetros de alto.
- En la parte superior hay una pantalla rectangular de 1 centímetro por 4 centímetros. Debajo de la pantalla hay pequeñas teclas cuadradas de 0,5 centímetros, colocadas en filas de cuatro.

**b. ¿Para qué sirve?**

**c. Ahora, escribe en las teclas los números y los signos matemáticos. ¿Sabes cómo se llama cada uno de estos signos? Relaciona.**

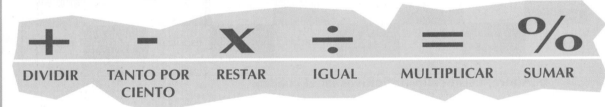

| + | - | X | ÷ | = | % |
|---|---|---|---|---|---|
| DIVIDIR | TANTO POR CIENTO | RESTAR | IGUAL | MULTIPLICAR | SUMAR |

 **2. Por turnos. Piensa en un objeto sencillo y descríbeselo a tu compañero. Él tiene que dibujarlo y decir para qué se usa.**

**3. Observa estos inventos e indica para qué crees que sirven.**

No creo que sea una bicicleta ni que se use para moverse. Creo que es un objeto de adorno.

# CHIC@S en la red

## Inventos Argentinos
### Inventos de Hoy y de Todos los Tiempos
### Biografías y mucho más...

INVENT.AR
IDEAS ARGENTINAS

Portada | Biografías | Entrevistas | Históricos

## Ladislao Biró

Para escribir, seguro que usas una birome (que en España se llama bolígrafo). Pero, ¿sabías que su inventor era Ladislao Biró, un húngaro naturalizado argentino que vivió en Buenos Aires?

**Aquí te contamos su historia:**

En los años treinta, Ladislao Biró trabajaba como corrector en una revista húngara. Para escribir, usaba una pluma estilográfica. Como le molestaba muchísimo tener que utilizar papel secante cada vez que corregía algo, junto con su socio Meyne fabricó un cilindro lleno de una tinta especial y con una bolita de acero en la punta. La tinta impregnaba la bolita que, al girar sobre el papel, dejaba un rastro de tinta de secado rápido.

En 1938 Biró patentó este invento al que puso el nombre de birome (por la asociación de su apellido Biró y del de su socio Meyne).

En 1940, con la ayuda de Meyne, Biró, que era judío, emigró a Argentina huyendo de los nazis y se estableció en Buenos Aires. Allí, en 1943 registró de nuevo la patente y la birome empezó a venderse enseguida.

**Otros inventos argentinos muy importantes**

En 1914 Luis Agote ideó instrumentos para la transfusión sanguínea y realizó la primera transfusión con sangre almacenada.

En 1916 Raúl Pateras de Pescara construyó el primer helicóptero.

En 1917 Quirino Cristiani imaginó la tecnología para producir los dibujos animados y filmó el primer cortometraje de este género.

En 1928 Ángel Di Césare y Alejandro Castelvi crearon el colectivo.

---

**1. Contesta a estas preguntas:**

¿Por qué se llama en Argentina "birome"?

¿Qué acontecimiento histórico obligó a Biró a escapar de su país?

¿Qué ventajas tiene la birome o el bolígrafo sobre la pluma? (Indica al menos tres.)

**2. Busca en la página todos los sinónimos del verbo «inventar».**

**3. Investiga. ¿Podrías citar algunos inventores de tu país? Busca información sobre dos de ellos y mándala a chicos–chicas@edelsa.es**

# CON&texto

## ANTONIO LÓPEZ: LAVABO Y ESPEJO

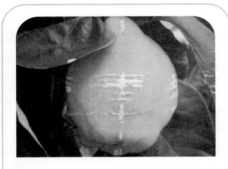

**Título:** *El Sol del Membrillo*
**Director:** Víctor Erice
**Año:** 1992
**Guión:** Antonio López y Víctor Erice.
Basado en el trabajo de Antonio López.
**Reparto:** Antonio López, María Moreno, Enrique Gran…

**PARA SABER MÁS**
www.epdlp.com/lopez.html
www.sapiens.ya.com/artelibre1/ANTONIO_LOPEZ/antonio_lopez.htm

## El Encuadre

**ETAPA PREVIA**
Vas a tener elementos externos para comprender mejor el texto

**1. LOCALIZACIÓN DE LA OBRA:** busca en el cuadro el **nombre del autor**, la **época** en que fue pintado, el **nombre de alguna persona** o **lugar** y las **dimensiones**. El **entorno** del artista también es muy importante. Infórmate sobre su **vida** y su **obra**, la **relación** del cuadro con el resto de su producción y con algún hecho personal, su relación con movimientos artísticos de su época…

## El Contenido

**1. DESCRIPCIÓN:** determina el **tema central** del cuadro. Después, fíjate en los **personajes** y / o los **objetos**.
**2. PROCEDIMIENTOS:** indica la **técnica pictórica** y los **materiales** que ha usado el pintor. Fíjate en el **estilo** del pintor, la **pincelada**, las **formas**, los **volúmenes**, los **colores** que predominan y los **matices**.

## Profundiza

**1.** Presenta este cuadro y di tus primeras impresiones. ¿Qué ambiente predomina? ¿Qué sentimientos y sensaciones despierta en ti?
**2.** Describe este cuarto de baño. Indica los objetos que hay y para qué sirven.
**3.** ¿Quién(es) utiliza(n) este cuarto de baño? ¿Cómo es / son?

### PROCEDIMIENTOS

**TÉCNICA Y MATERIALES**
Pintura al óleo, acuarela, témpera, acrílico y técnica mixta (*collage*, pintura con materiales orgánicos como arena…)

**COLORES**
**Primarios:** , y
**Secundarios:** , y
**Neutros:** y

### OPINIÓN PERSONAL

Da tu opinión personal sobre este cuadro: expresa qué impresiones te ha causado, que es lo que más te gusta, qué es lo que menos te atrae…

# EL MUNDO HISPANO EN TU mochila

## El Salvador

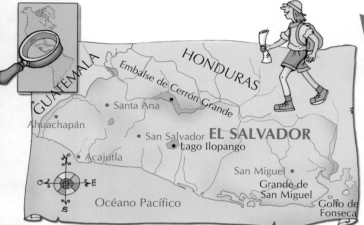

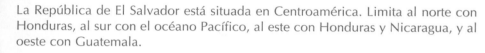

Lago de Ilopango.

Catedral. SANTA ANA.

Trajes típicos.

Iguana.

La República de El Salvador está situada en Centroamérica. Limita al norte con Honduras, al sur con el océano Pacífico, al este con Honduras y Nicaragua, y al oeste con Guatemala.

Tiene una superficie de 21.040 km² y una población de 5.839.000 de habitantes, formada por mestizos (94%), indígenas (5%) y blancos de origen europeo (1%). Es el país más pequeño y con la densidad de población más elevada de América Central.

Su capital es San Salvador. Otras ciudades importantes son Santa Ana y San Miguel.

El idioma oficial es el español, pero también se hablan lenguas indígenas como náhuatl y maya.

Su moneda es el colón salvadoreño.

Es un país de origen volcánico, con zonas montañosas al norte, una meseta central y llanuras cerca de la costa. Sufre frecuentes terremotos destructivos y erupciones volcánicas ya que se encuentra en una zona sísmica.

El clima es caliente y húmedo en la costa y templado en el valle central. Hay dos estaciones que predominan a lo largo del año: la estación lluviosa, entre mayo y octubre, y la estación seca de noviembre a abril.

La vegetación es de bosque seco y sabana con plantas herbáceas en el norte, y de bosque lluvioso y sabana en el centro y en el sur.

En El Salvador crecen árboles tropicales como el mango, el naranjo o el banano. Entre los animales, se pueden citar el mono, el jaguar, el puma, el ocelote, el cocodrilo, la iguana, serpientes, quetzales, colibríes...

Los principales cultivos son el café, el algodón y la caña de azúcar, destinados a la exportación. Para el consumo nacional, se cultivan maíz, fríjol, yuca, arroz y frutas tropicales. La industria se basa en la elaboración de alimentos y bebidas, en la confección de tejidos y prendas de vestir y en los productos petroleros y el cemento.

Teatro Nacional.
SAN SALVADOR.

Monumento a la
Constitución.
SAN SALVADOR.

# FICHA RESUMEN

## COMUNICACIÓN

- **Describir objetos**
  *Es pequeño y ligero. Funciona con batería. Sirve para hablar a distancia.*
- **Indicar la utilidad de un objeto**
  *El móvil sirve para comunicarse con otras personas. Es un objeto que se usa para llamar en cualquier momento y desde cualquier lugar.*
- **Hablar de forma impersonal**
  *Son objetos de los que se pueden hacer copias. Las llaves se hacen en las ferreterías.*
- **Expresar la opinión**
  *Creo que es un objeto importante. No creo que existan los extraterrestres.*
- **Exponer ventajas**
  *Para mí, Internet es muy útil. Primero, porque puedes informarte de todo desde tu casa. Además, es muy barato. Por otra parte, gracias a Internet podemos conocer muchas cosas de otros países sin viajar.*

## GRAMÁTICA

- ***Ser* + adjetivo**
  *Es redondo. Es de tela. Es ancho. Es silencioso.*
- **El pronombre *se***
  *El pan se compra en la panadería. Los medicamentos son productos con los que se curan las enfermedades.*
- **El Presente de Subjuntivo**
  **Verbos regulares:** *hablar > hable, comer > coma, escribir > escriba.*
  **Verbos irregulares:** *dar > dé, estar > esté, ir > vaya, saber > sepa, ser > sea, tener > tenga...*
- ***Pienso* / *Creo que* + Indicativo, *No creo que* + Presente de Subjuntivo**
  *Pienso que la cámara digital es un gran invento.*
  *No creo que el bolígrafo sea el invento más importante, pero sí es el más útil.*

## VOCABULARIO

- **Objetos e inventos**
  *Un móvil, unas tijeras, unas llaves, un reloj, un vaso, un estuche, una calculadora, el bolígrafo, la televisión, el teléfono, la brújula, el calendario, la imprenta, la rueda, el microscopio...*
- **Adjetivos y sustantivos para describir objetos**
  *Redondo, cuadrado, plano, ancho, largo, pesado, plegable, ruidoso...*
  *De papel, de cartón, de metal, de plástico...*

Lección 11. El concurso de inventos
Lección 12. ¿Quién habrá ganado?

6
unidad

# Contenidos

## COMUNICACIÓN

- Hablar de un concurso.
- Enumerar los requisitos para hacer algo.
- Describir un objeto del que se tiene experiencia o no.
- Indicar cómo debe ser un objeto.
- Formular hipótesis y probabilidades.
- Mostrar preocupación y tranquilizar.

## GRAMÁTICA

- Contraste de Indicativo y Subjuntivo en oraciones relativas.
- Morfología de verbos irregulares en Presente de Subjuntivo.
- Morfología del Futuro Compuesto.
- Usos del Futuro Simple y Compuesto para formular hipótesis.
- Morfología del Preterito Perfecto de Subjuntivo.
- Usos del Subjuntivo con expresiones de hipótesis.

## VOCABULARIO

- Funciones de un robot.

## PROYECTO

- El campamento de verano.

## LECTURAS

- Chic@s en la red: en la página *web* de las máquinas espaciales.

# Lección 11

# El concurso de inventos

**1.** a. Aquí tienes un anuncio sobre un concurso de inventos y robótica. Léelo.

## Gran concurso de inventos: pon a prueba tu imaginación.

El concurso está abierto a todos los estudiantes de 15 a 18 años.

Los equipos deben estar formados por tres estudiantes y un profesor.

Cada equipo tiene que presentar tres inventos con un folleto descriptivo sencillo y claro.

Los inventos tienen que ser útiles y originales.

Los equipos interesados deben enviar por correo electrónico la ficha de inscripción con el nombre del profesor a **concursorobots@msn.com** antes del próximo 5 de junio.

b. **Localiza las frases relacionadas con:**

- la composición de los grupos participantes;
- la edad de los concursantes;
- la forma de describir los trabajos;
- la forma de inscribirse;
- la fecha límite para apuntarse;
- los criterios de evaluación.

**2.** a. **Observa.**

 **EXPRESAR UNA NECESIDAD**

| Es indispensable que | | |
| Es necesario que | + | Presente de Subjuntivo |
| Es mejor que | | |
| Es importante que | | |

b. **Ahora lee de nuevo el anuncio y escribe las frases como en el ejemplo.**

Edad indispensable: **Es indispensable que los estudiantes tengan entre 15 y 18 años.**

- Número de nuevos inventos convenientes.
- Característica imprescindible de los inventos.
- Fecha necesaria de entrega de fichas.

**3.** La clase de Rubén, Matilde, Víctor y Virginia quiere participar. Escucha la conversación e indica qué robot te parece más útil y por qué.

**4.** **a. Observa el relativo que.**

Si el relativo que se refiere a algo que conocemos, se usa el Indicativo.
(Describimos las características que **tiene** el objeto.)
*El diccionario es un libro que contiene definiciones.*

Si el relativo que se refiere a algo que no sabemos si existe, se usa el Subjuntivo.
(Describimos las características que **debe tener** el objeto.)
*Vamos a fabricar un robot que suba las escaleras.*

**b. Escucha de nuevo la conversación. Luego, indica las características que debe tener cada invento.**

Rubén quiere construir un robot que...
Víctor propone una máquina que...
Matilde tiene ganas de crear un robot que...
Virginia desea fabricar un libro que...

| | |
|---|---|
| subir | preparar |
| barrer | ayudar |
| realizar | tener |
| hablar | limpiar |

**5.** **Con tus compañeros, imagina otros robots o máquinas para el concurso.**

Una bicicleta que vuele para evitar los atascos.

Un coche que funcione con agua para no contaminar el medio ambiente.

## VERBOS IRREGULARES EN PRESENTE DE SUBJUNTIVO

| CERRAR | VOLVER | PEDIR | PREFERIR | DORMIR | decir / dig -o | Verbos con 1ª persona irregular en Presente de Indicativo | |
|---|---|---|---|---|---|---|---|
| cierre | vuelva | pida | prefiera | duerma | diga | hacer | hag/a |
| cierres | vuelvas | pidas | prefieras | duermas | digas | poner | pong/as |
| cierre | vuelva | pida | prefiera | duerma | diga | salir | salg/a |
| cerremos | volvamos | pidamos | prefiramos | durmamos | digamos | tener | teng/amos |
| cerréis | volváis | pidáis | prefiráis | durmáis | digáis | traducir | traduzc/áis |
| cierren | vuelvan | pidan | prefieran | duerman | digan | | |

# Lección 12

# ¿Quién habrá ganado?

**1.** Los chicos fueron a presentar sus inventos en el concurso. Los padres de Virginia están nerviosos esperando la llamada.

 **a. Escucha la conversación y marca las hipótesis que hacen.**

    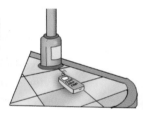

 **b. Escucha de nuevo y relaciona las dos partes de cada frase.**

- Quizás
- Seguramente
- Tal vez
- Seguro que
- A lo mejor
- Es probable que

- no pueda hablar ahora.
- ya habrán terminado.
- ella te esté llamando.
- no hay un teléfono público allá.
- lo estarán celebrando.
- lo tendrá apagado.

**2.** **a. Observa.**

| EXPRESAR HIPÓTESIS Y PROBABILIDAD | |
|---|---|
| Futuro | *Los padres de Virginia no contestan. No estarán en casa.* |
| A lo mejor / Seguramente + Indicativo | *A lo mejor Virginia va a llamar a las ocho y media.* |
| Quizá(s) / Tal vez + Indicativo / Subjuntivo | *Quizá(s) no puede llamar ahora. / no pueda llamar ahora.* |
| Es probable que / Probablemente + Subjuntivo | *Es probable que venga más tarde.* |

**b. Lee estas situaciones y busca una posible explicación. Usa las expresiones del cuadro anterior, como en el ejemplo.**

1. Julián, un compañero de clase, hoy no está.
2. Lola no quiere ir al cine contigo.
3. Llamas por teléfono a Pedro, pero no contesta.
4. Beatriz llega a clase con una bolsa de bombones.
5. Estás en casa esperando a un amigo y no ha llegado todavía.
6. Un amigo quiere quedar contigo, pero no sabes para qué.

*Estará enfermo. A lo mejor / Quizá / Tal vez está enfermo. Quizá / Tal vez esté enfermo.*

**3.** **a. Observa.**

---

### HACER HIPÓTESIS SOBRE EL PRESENTE

| A lo mejor/Quizá(s)/Tal vez<br>+ Presente de Indicativo | Futuro Simple | Quizá(s)/Tal vez<br>+ Presente de Subjuntivo |
|---|---|---|

*Juan no está en casa...*
*a lo mejor está en casa de Luis.*      *estará en casa de Luis.*      *quizá esté en casa de Luis.*
*tal vez está jugando al fútbol.*      *estará jugando al fútbol.*      *tal vez esté jugando al fútbol.*

### HACER HIPÓTESIS SOBRE EL PASADO

| A lo mejor/Quizá(s)/Tal vez<br>+ Perfecto de Indicativo | Futuro Compuesto | Quizá(s)/Tal vez<br>+ Perfecto de Subjuntivo |
|---|---|---|

*Juan no está en casa...*
*a lo mejor ha salido.*      *habrá salido.*      *quizá haya salido.*

---

### EL FUTURO COMPUESTO

Haber en Futuro + Participio

| Yo | habré | hablado |
| Tú, vos | habrás | comprendido |
| Él/ella, usted | habrá | salido |
| Nosotros/as | habremos | escrito |
| Vosotros/as | habréis | puesto |
| Ellos/as, ustedes | habrán | ... |

### EL PERFECTO DE SUBJUNTIVO

Haber en Presente de Subjuntivo + Participio

| haya | hablado |
| hayas | comprendido |
| haya | salido |
| hayamos | escrito |
| hayáis | puesto |
| hayan | ... |

---

**b. Lee estas situaciones y formula hipótesis de las tres maneras diferentes.**

Estás esperando a una amiga en tu casa. Son las siete y debía llegar a las seis y media.
**Haber olvidado la cita. A lo mejor / Quizá(s) / Tal vez ha olvidado la cita. Habrá olvidado la cita. Quizá(s) / Tal vez haya olvidado la cita.**

Llamas a la puerta de un amigo, pero éste no abre.
Juan llama a Pedro, pero éste no contesta al teléfono.
Natalia no ha podido entrar al concierto de Cristina Aguilera.
Llamas por quinta vez al móvil de Elena, pero siempre comunica.
Lola y Marta ya no se hablan.

**1.** Un grupo de jóvenes va a hacer una excursión de tres días en el corazón de los Andes. Aquí tienes el material que va a necesitar cada participante. Relaciona cada objeto con las condiciones que debe reunir y conjuga los verbos en Presente de Subjuntivo.

tres pares de calcetines

un saco de dormir

unas botas

una mochila

una crema solar

unas gafas

un botiquín

un jersey

una cazadora

una tienda de campaña

- _Unas botas_ que (cubrir) _cubran_ el tobillo y (ser) _sean_ impermeables y cómodas.
- _____ grande que (poder) _____ contener todo el material y no (producir) _____ dolores en la espalda.
- _____ que (soportar) _____ bajas temperaturas.
- _____ de algodón que (permitir) _____ la evaporación del sudor.
- _____ de lana largo que (llegar) _____ hasta las piernas.
- _____ que (abrigar) _____ mucho.
- _____ que (proteger) _____ de los rayos ultravioletas.
- _____ que (evitar) _____ las quemaduras del sol.
- _____ que (ser) _____ de material resistente.
- _____ que (incluir) _____ todos los medicamentos indispensables.

**2.** Aquí tienes algunos consejos para estudiar mejor. Conjuga los verbos en Presente de Subjuntivo y señala los consejos que sigues.

❏ Es mejor que (estudiar) _estudies_ en tu habitación, no en el comedor con la tele encendida.
❏ Es indispensable que no (trabajar) _____ con música para no perder la concentración.
❏ Es importante que tu habitación (tener) _____ una buena iluminación, que no (haber) _____ ruido ni (hacer) _____ demasiado calor.
❏ Antes de empezar, es importante que (pensar) _____ en el material que vas a necesitar y lo (poner) _____ sobre tu mesa.
❏ Es indispensable que (alternar) _____ las asignaturas y (dejar) _____ las más fáciles para el final.
❏ Es mejor que no (trabajar) _____ más de una hora seguida y (alternar) _____ el trabajo con unos minutos de descanso.
❏ Es necesario que, cada noche, (dormir) _____ 8 horas como mínimo.
❏ Es importante que (apuntar) _____ todas tus dudas en una hoja.

**3.** Completa el cuadro.

| | Futuro | Subjuntivo |
|---|---|---|
| Juan no está en casa, a lo mejor ha salido. | *Habrá salido.* | |
| Félix no contesta, a lo mejor tiene la música muy alta. | | |
| Julia no ha venido a la fiesta, a lo mejor ha olvidado la hora. | | |
| Pablo ha salido, a lo mejor está jugando al fútbol con sus amigos. | | |
| Pablo no quiere ir al cine, a lo mejor no le gusta la película. | | |
| He recibido una carta. A lo mejor me ha escrito Juan. | | |
| Matías aún no está en casa, a lo mejor llega un poco más tarde. | | |
| Concha está enferma, a lo mejor tiene la gripe. | | |
| El autocar tiene retraso, a lo mejor hay atascos. | | |

**4.** Observa a estos chicos y contesta a las preguntas en tu cuaderno. Usa cada vez: 1. A lo mejor + Indicativo. 2. Futuro. 3. Quizás / Tal vez + Subjuntivo.

**¿Cómo crees que se ha roto la pierna?**
1. *A lo mejor se cayó jugando al fútbol.*
2. *Se habrá caído jugando al fútbol.*
3. *Quizás se haya caído jugando al fútbol.*

**¿Por qué crees que está tan contento?**

**¿Por qué crees que está enfadada?**

**¿Por qué crees que no están contentos?**

**¿Por qué crees que tiene tantos regalos?**

**¿Por qué crees que está mirando por la ventana?**

# Proyecto

# El campamento de verano

**1.** Pedro está buscando un campamento de verano en Internet.

**a. Primero, completa estas recomendaciones para Pedro (conjuga los verbos en Presente de Subjuntivo, forma "tú") y relaciona las dos partes de cada frase.**

- Es necesario que (decir) ⬤⬤⬤⬤⬤
- Es importante que (escribir) ⬤⬤⬤⬤⬤ cuándo
- Es indispensable que (poner). ⬤⬤⬤⬤⬤ si prefieres
- Es necesario que (citar). ⬤⬤⬤⬤⬤ las actividades

- que te gustan.
- quieres ir al campamento.
- la playa, el campo o la montaña.
- tu edad.

**b. Conjuga los verbos en Presente de Subjuntivo.**

> **Edad:** 16 años.
> **Fechas:** del 15 al 30 de julio.
> **Lugar:** Busco un campamento que (estar) ⬤⬤⬤ cerca del mar.
> **Actividades:** Prefiero estar con chicos que (tener) ⬤⬤⬤ entre 16 y 18 años y que (venir) ⬤⬤⬤ de diferentes países del mundo. Quiero realizar actividades que (ser) ⬤⬤⬤ en equipo, al aire libre o en el mar, y que me (permitir) ⬤⬤⬤ descubrir la naturaleza. No me gustan mucho las actividades manuales.

 **c. ¿Qué actividades crees que quiere realizar Pedro? Discútelo con tus compañeros.**

> Pedro es aficionado a las actividades al aire libre. Quizá le gusten las excursiones a pie o en bicicleta.

> O tal vez quiera practicar el buceo, para ver el fondo del mar.

> Yo no creo que le atraigan los deportes individuales.

**2. a. Lee las ofertas de la página *web*.**

| Campamento internacional Río Azul (País Vasco) A 10 km de la playa | Campamento internacional Las Gaviotas Santander (Cantabria) | Campamento internacional El Teide. Tenerife (Canarias) |
| --- | --- | --- |
| **Actividades:** rutas a caballo por la playa / visita de grutas / piragüismo / buceo / vela / esquí náutico / excursiones en bici. | **Actividades:** buceo en grupos / excursiones en bici / juegos de playa / socorrismo / tiro con arco / cerámica / taller de idiomas. | **Actividades:** senderismo / excursión al Teide / *surf* / iniciación al buceo / ala delta / fotografía / teatro / manualidades / aula de cocina internacional. |

**b. ¿Qué campamento ofrece las actividades más próximas a los intereses de Pedro?**

**c. Con la información que tienes, escribe un texto sobre los proyectos de Pedro.**

# CHIC@S en la red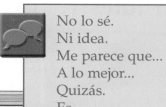

Explorar el espacio y saber si hay vida en otros planetas es uno de los grandes sueños de la humanidad. Entra en esta página y descubre las máquinas espaciales ideadas por el hombre. Pero antes contesta a estas preguntas:

– ¿Cómo se llama el primer hombre que pisó la Luna? ¿Cuál era su nacionalidad?
– ¿Sabes quién era Laika?
– ¿Recuerdas los nombres de los planetas del Sistema Solar?
– ¿Sabes qué es la Estación Espacial Internacional?
– ¿Conoces alguna película o novela que hable de la exploración espacial?

> No lo sé.
> Ni idea.
> Me parece que…
> A lo mejor…
> Quizás.
> Es…

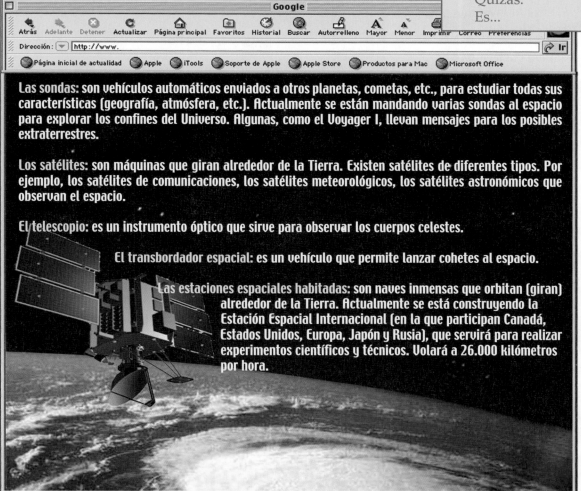

**Google**

Dirección: http://www.

Página inicial de actualidad · Apple · iTools · Soporte de Apple · Apple Store · Productos para Mac · Microsoft Office

**Las sondas:** son vehículos automáticos enviados a otros planetas, cometas, etc., para estudiar todas sus características (geografía, atmósfera, etc.). Actualmente se están mandando varias sondas al espacio para explorar los confines del Universo. Algunas, como el Voyager I, llevan mensajes para los posibles extraterrestres.

**Los satélites:** son máquinas que giran alrededor de la Tierra. Existen satélites de diferentes tipos. Por ejemplo, los satélites de comunicaciones, los satélites meteorológicos, los satélites astronómicos que observan el espacio.

**El telescopio:** es un instrumento óptico que sirve para observar los cuerpos celestes.

**El transbordador espacial:** es un vehículo que permite lanzar cohetes al espacio.

**Las estaciones espaciales habitadas:** son naves inmensas que orbitan (giran) alrededor de la Tierra. Actualmente se está construyendo la Estación Espacial Internacional (en la que participan Canadá, Estados Unidos, Europa, Japón y Rusia), que servirá para realizar experimentos científicos y técnicos. Volará a 26.000 kilómetros por hora.

**1.** Busca en el texto sinónimos de "auto", "dar vueltas" y "aparatos".

**2.** Explica qué es "una sonda", "un satélite", "un telescopio" y "una estación espacial".

**3.** Imagina que próximamente se va a mandar una sonda espacial y que todos los estudiantes del mundo pueden escribir un mensaje para los posibles extraterrestres:
– ¿Qué les contarías tú acerca de la Tierra y de su vida?
– ¿Qué preguntas les harías?

**4.** Envía tu mensaje a chicos-chicas@edelsa.es

# Tarea final

## Ámbito 3

## Crear nuestro invento del siglo

**1. Primero prepara el vocabulario y las expresiones.**

**a.** Explica tu invento e indica su utilidad.

Sirve para curar enfermedades.
Sirve para hacer el trabajo de...
Sirve para hacer...
Otro: ....................................

**b.** Piensa en el diseño.

**c.** Imagina el material, los componentes, la forma.

*De cuero, plástico, goma, acero, piedra, cristal...*
*Tiene... partes, se compone de...*

**d.** Imagina lo que hace.

**e.** ¿Cuáles son las ventajas de tu invento? ¿Tiene algún inconveniente?

**2. Ahora escribe un correo y envíalo a chicos-chicas@edelsa.es Los mejores se publicarán.
Tal vez recibas respuestas de otros estudiantes.**

---

**chicos-chicas@edelsa.es**

**Nuevo mensaje**

Nombre:
Dirección electrónica:
Texto del mensaje:

# FICHA RESUMEN

## COMUNICACIÓN

- **Expresar una necesidad**
  *Es importante que los inventos sean originales.*
  *Es necesario que los inventos sean útiles.*
- **Indicar cómo debe ser un objeto**
  *Vamos a fabricar un robot que suba las escaleras.*
- **Formular hipótesis y probabilidad**
  **Sobre el presente o el futuro:** *Javier no ha venido. Estará escuchando música en su habitación. Quizá / Tal vez llegue un poco más tarde.*
  **Sobre el pasado**: *María no está en el autobús. A lo mejor / Quizá(s) / Tal vez ha ido a comprar unas postales o se habrá olvidado algo en la habitación del hotel. Quizá(s) / Tal vez se haya perdido.*

## GRAMÁTICA

- **El Presente de Subjuntivo**
  **Verbos irregulares con alteración vocálica:** *cerrar > cierre, pensar > piense, volver > vuelva, poder > pueda, pedir > pida, servir > sirva...*
  **Verbos irregulares:** *decir > diga, hacer > haga, poner > ponga, salir > salga, tener > tenga, traducir > traduzca...*
- **Usos del Presente de Subjuntivo**
  **Con el relativo** *que***:** *Buscamos un invento que sea divertido.*
  **Con** *es indispensable / necesario / mejor / importante* **+** *que***:** *Es necesario que hagáis una descripción completa de vuestro invento.*
  **Con** *quizá*(s) */ tal vez / es probable que / es posible* **+** *que***:** *Es probable que sea su cumpleaños.*
- **El Futuro compuesto**
  **Verbos regulares:** *cantar > habré cantado, aprender > habré aprendido, vivir > habré vivido...*
  **Verbos irregulares:** *hacer > habré hecho, volver > habré vuelto...*
- **El Pretérito Perfecto de Subjuntivo**
  **Verbos regulares:** *cantar > haya cantado, aprender > haya aprendido, vivir > haya vivido...*
  **Verbos irregulares:** *hacer > haya hecho, volver > haya vuelto...*

## VOCABULARIO

- **Actividades de un campamento de verano**
  *Visita de grutas, piragüismo, excursiones en bici, esquí náutico, tiro con arco, teatro, ala delta, cocina, buceo, socorrismo, taller de idiomas, juegos de playa, senderismo...*
- **El espacio y la conquista espacial**
  *La sonda, el planeta, el cometa, el Universo, el satélite, la estación espacial, el telescopio...*

# Ámbito 4
# Profesional

## 1. OBJETIVO:

En estas dos unidades vas a aprender a describir la profesión que quieres ejercer cuando seas mayor, a informarte de profesiones, de los requisitos y de los pasos que debes dar. También aprenderás a expresar objetivos y deseos, a expresar recomendaciones y sugerencias.

## 2. PREPARACIÓN:

Antes de empezar, piensa en todo el vocabulario y todas las expresiones que ya conoces sobre el tema:

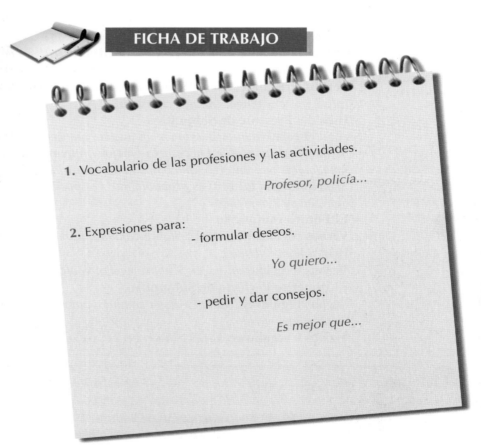

### FICHA DE TRABAJO

1. Vocabulario de las profesiones y las actividades.

*Profesor, policía...*

2. Expresiones para:
   - formular deseos.

*Yo quiero...*

   - pedir y dar consejos.

*Es mejor que...*

## 3. TAREA:

Después de las dos unidades realizarás una redacción para explicar qué profesión te gustaría ejercer, qué es lo que necesitas y qué vas a hacer. Esta redacción la puedes mandar a chicos-chicas@edelsa.es y participar en un concurso: se publicarán las mejores. Así tal vez puedas conocer a chicos de otros países.

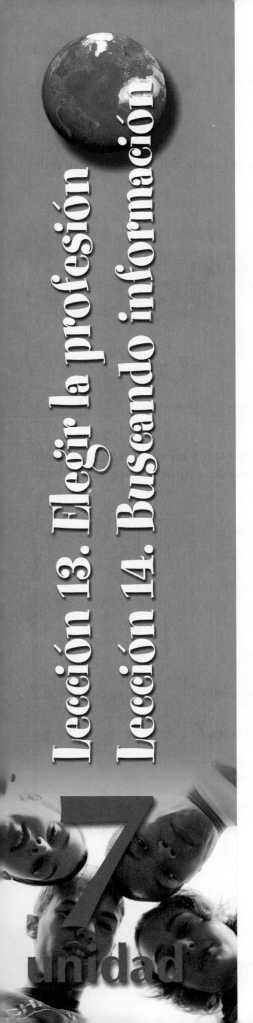

# Contenidos

## COMUNICACIÓN

- Describirse a sí mismo para orientarse profesionalmente.
- Contar las actividades cotidianas y relacionar dos momentos.
- Hablar de acciones futuras.
- Programar actividades.
- Hacer sugerencias y recomendaciones expresadas por otra persona.
- Indicar finalidades.
- Presentar una profesión.

## GRAMÁTICA

- La oración temporal con *cuando* + Indicativo / Subjuntivo.
- El Futuro para expresar hipótesis futuras.
- Verbos para transmitir sugerencias.
- El Presente de Subjuntivo en el estilo indirecto.
- La oración final con *para* + Infinitivo o Subjuntivo.

## VOCABULARIO

- Las profesiones y sus actividades.
- Adjetivos para describirse a sí mismo.

## PROYECTO

- Describir una profesión.

## LECTURAS

- Chic@s en la red: en la página *web* de las profesiones del futuro.
- El mundo en tu mochila: mundo azteca.
- Con & texto: un anuncio.

**1.** Tal vez no sepas qué carrera te gustaría cursar, o te resulte difícil elegir entre todas las profesiones que existen.

**a.** Para empezar, lee estos consejos.

*Piensa en tus intereses: ¿qué te gusta más? ¿En qué actividades te sientes más a gusto? ¿En qué asignaturas sacas buenas notas? A lo mejor tienes grandes dotes para las manualidades o puedes convertirte en un gran deportista. ¿Cómo eres: independiente, sociable, ordenado, organizado...?*

Habla con adultos sobre su trabajo (los buenos y los malos aspectos). Es una buena manera para descubrir profesiones. Pregúntales también qué estudios hay que cursar.

*Habla con tu tutor y pídele ayuda para encontrar información sobre carreras que correspondan a tus intereses.*

*Realiza cualquier actividad extraescolar para desarrollar tus habilidades.*

**b.** Ahora contesta a este test para conocer tu orientación. Marca las respuestas que estén más relacionadas con lo que tú haces. Puedes tener varias respuestas en una misma pregunta.

## test joven

**1. ¿Cómo eres?**

☐ Soy muy sensible y solidario.                                           A, B, G
☐ Soy bastante reservado. No me gusta mucho hablar de mí mismo.            I, D
☐ Soy muy extrovertido. Me encanta organizar fiestas.                     F, E
☐ Soy muy sociable.                                                       F, C
☐ Soy muy competitivo.                                                    H

**2. ¿Cómo actúas normalmente?**

☐ Soy muy ordenado y me gusta organizar las cosas.                        A, D, G, H
☐ Soy desordenado.                                                        C, E, F, I
☐ Cuando tengo que hacer algo, miro bien las ventajas y los inconvenientes. A, D, G
☐ Soy muy impulsivo. Siempre improviso.                                   B, C, E, F, H

**3. ¿Cuál es tu relación con los demás?**

☐ Tengo muchos amigos y me gusta planificar nuestras actividades.          A, G
☐ Mis amigos confían mucho en mí. Cuando tienen un problema, me lo cuentan. B, D
☐ Para mí, mi familia y mis amigos son muy importantes. Por eso paso mucho tiempo
   con ellos.                                                              C, F
☐ Practico deportes competitivos y, claro, cuando juego, prefiero ganar.   A, H
☐ Soy muy alegre y contagio mi alegría a mis amigos y familiares.          E, I
☐ Odio la monotonía, siempre quiero hacer cosas diferentes.               C, E, G

**4. ¿Cuáles son tus ideas y tus proyectos?**

☐ Para mí es muy importante superarme, asumir riesgos. Cuando tenga que elegir mi
   futuro, me pondré una meta alta.                                       A, E
☐ Cuando mis amigos me necesiten, podrán confiar en mí.                   B, F
☐ Me gustan las novedades y las actividades creativas.                    C, E, I
☐ Soy perfeccionista y constante. Cuando decida mi futuro, trabajaré por él. D, H
☐ Tengo muchas ideas y muchos sueños, pero sé que no todos se realizarán.  D, I

**c. Observa las respuestas y fíjate en qué letra tienes más respuestas. ¿Estás de acuerdo?**

**A. Líder**
Hombre de negocios,
profesor o político

**B. Afectivo**
Fotógrafo, peluquero
o diplomático

**C. Artista**
Cantante, bailarín,
pintor o actor

**D. Trabajador**
Ingeniero, científico
o vendedor

**E. Aventurero**
Periodista o
arqueólogo

**F. Solidario**
Bombero, socorrista
o farmacéutico

**G. Filósofo**
Detective o
psicólogo

**H. Triunfador**
Abogado, diseñador
o director general

**I. Soñador**
Trabajador de una
ONG

**2.** **Observa. Luego, busca otros ejemplos en el texto.**

**HABLAR DE ACCIONES HABITUALES**

Cuando + Presente de Indicativo, Presente
*Cuando tengo algo que hacer, pienso las ventajas y los inconvenientes.*

**HABLAR DE ACCIONES FUTURAS**

Cuando + Presente de Subjuntivo, Futuro
*Cuando tenga que elegir mi profesión, me pondré una meta alta.*

**3.** **a. Escucha y ordena los pasos que quiere dar Virginia.**

| Hacer una exposición. | Terminar el instituto. | Conseguir un contrato de una revista. | Hacer un curso de fotografía. | Practicar y tener experiencia. |

**Virginia quiere ser fotógrafa.**

**b. Escribe las frases como en el ejemplo.**

Virginia quiere ser fotógrafa.
Cuando termine el instituto, hará un curso de fotografía. Cuando...

**c. Ahora ordena los pasos que darán Rubén, Matilde y Víctor y escribe las frases.**

| Tener una consulta. | Empezar a trabajar. | Salir de la facultad. | Acabar la carrera. | Aprobar los exámenes. |

**Rubén, veterinario.**

| Trabajar en una ONG. | Estudiar Enfermería. | Hacer el examen de entrada en la universidad. | Conseguir la experiencia suficiente. | Trabajar en un hospital. |

**Matilde, enfermera.**

| Aprobar un examen de ingreso. | Hacer unas pruebas físicas. | Hacer un curso. | Obtener el certificado de aptitud. | Empezar un periodo de prácticas. |

Víctor, bombero.

# Buscando información

**1. a.** Virginia quiere ser fotógrafa y habla con su tutor. Escucha la conversación y contesta a estas preguntas.

Cursos de fotografía

¿Qué le pide Virginia a su tutor?
¿Cuántos consejos le da él? ¿Cuáles?
¿Qué le pide su tutor al final de la conversación?

**b. Observa.**

## DAR INSTRUCCIONES Y CONSEJOS

Decir/pedir/aconsejar... + Presente de Subjuntivo

¿Me puede hablar de su trabajo?          *Le pide que le hable de su trabajo.*
Deberías practicar actividades extraescolares.     *Te aconsejo que practiques actividades extraescolares.*

**c. Lee los bocadillos y completa las frases.**

Beatriz, tienes que hacer el ejercicio 4.

Rubén, mira en Internet.

Julio, lee este anuncio.

No deberían volver tarde.

Escucha el CD.

Pedro, no salgas.

Víctor, por favor, ¿puedes dejarme el libro?

Camila aconseja a Julio que...
El profesor le dice a Beatriz que...
Matilde le recomienda a Rubén que...
Víctor recomienda a sus amigos que...
Virginia propone a Lucía que...
Lorena le pide a Víctor que...
Rubén le dice a Ernesto que...
El señor López prohíbe a su hijo que...

Lucía, ¿por qué no te apuntas a esta actividad conmigo?

**2.** A Rubén le interesa la profesión de veterinario. Está con Virginia buscando información en Internet.

**a. Antes de leer el texto, contesta con tu compañero a estas preguntas.**

¿Dónde trabaja el veterinario?          ¿Qué hace?
¿Qué animales cuida?          ¿Qué conocimientos debe tener?

**b.** Completa el artículo con las palabras de la lista.

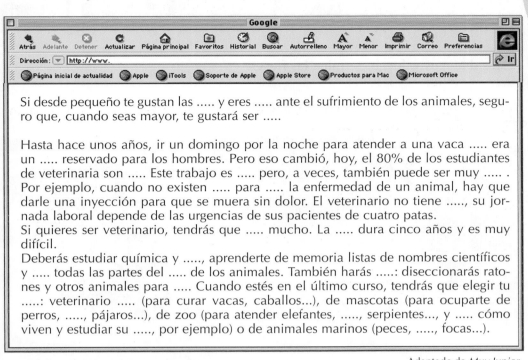

1. curar
2. especialidad
3. chicas
4. valiente
5. conocer
6. medicinas
7. veterinario
8. triste
9. reproducción
10. biología
11. gatos
12. carrera
13. apasionante
14. tigres
15. enferma
16. prácticas
17. rural
18. cuerpo
19. trabajo
20. horario
21. estudiar
22. estudiarlos
23. analizar
24. ballenas
25. mascotas

Si desde pequeño te gustan las ..... y eres ..... ante el sufrimiento de los animales, seguro que, cuando seas mayor, te gustará ser ..... .

Hasta hace unos años, ir un domingo por la noche para atender a una vaca ..... era un ..... reservado para los hombres. Pero eso cambió, hoy, el 80% de los estudiantes de veterinaria son ..... Este trabajo es ..... pero, a veces, también puede ser muy ..... . Por ejemplo, cuando no existen ..... para ..... la enfermedad de un animal, hay que darle una inyección para que se muera sin dolor. El veterinario no tiene ....., su jornada laboral depende de las urgencias de sus pacientes de cuatro patas.
Si quieres ser veterinario, tendrás que ..... mucho. La ..... dura cinco años y es muy difícil.
Deberás estudiar química y ....., aprenderte de memoria listas de nombres científicos y ..... todas las partes del ..... de los animales. También harás .....: diseccionarás ratones y otros animales para ..... Cuando estés en el último curso, tendrás que elegir tu .....: veterinario ..... (para curar vacas, caballos...), de mascotas (para ocuparte de perros, ....., pájaros...), de zoo (para atender elefantes, ....., serpientes..., y ..... cómo viven y estudiar su ....., por ejemplo) o de animales marinos (peces, ....., focas...).

Adaptado de *Muy Junior*

**3.** **a.** Observa. Luego, busca otro ejemplo en el texto.

| Para que + Subjuntivo | Para + Infinitivo |
|---|---|
| Cada verbo se refiere a una persona diferente. | Los verbos se refieren a la misma persona. |
| *Llamo al veterinario* *para que cure a mi perro.* (llamo > yo / cure > el veterinario) | *El estudiante disecciona a los ratones* *para estudiarlos.* (El estudiante disecciona y estudia a los ratones.) |

 **b.** Matilde de mayor quiere ser enfermera y, por eso, se hizo socia de una pequeña ONG que se dedica a visitar a las personas enfermas en los hospitales. Escucha la conversación, relaciona y conjuga los verbos en Presente de Subjuntivo.

• Matilde le da unas revistas a doña Dolores
• Matilde va a llamar a la enfermera
• Se queda con doña Dolores
• Matilde pone la tele
• Doña Dolores le da una carta a Matilde
• Doña Dolores le da bombones a Matilde

**para que**

• la (echar)      al buzón.
• no (estar)      sola.
• no (aburrirse)      .
• (probarlos)      .
• doña Dolores (poder)    ver la telenovela.
• (darle)    unas pastillas a doña Dolores.

**1.** Lee estos diálogos y, luego, termina las frases.

¿Vamos a la piscina?

Vale, pero esperamos a Natalia. Ella también quiere ir.

Sí, después de las clases.

¿Vas a llamar a José?

¿Me prestas el cómic?

Espera, quiero leerlo yo primero.

¡Genial! Pero primero tengo que esperar a mi madre, está haciendo la compra.

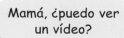

¿Vienes a mi casa para escuchar un CD de Enrique Iglesias?

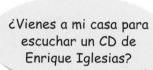

Mamá, ¿puedo ver un vídeo?

Recoge primero tu habitación.

Marta y Javier irán a la piscina
Cristina llamará a José
Lucía prestará el cómic a Carlos
Raquel irá a casa de David
Jaime verá el vídeo

cuando (terminar) _____ de leerlo.
cuando (recoger) _____ su habitación.
cuando (salir) _____ del instituto.
cuando su madre (volver) _____ de la compra.
cuando (llegar) _____ Natalia.

**2.** Vuelve a leer el texto sobre el veterinario (página 87) y haz estos ejercicios.
a. Escribe todas las palabras relacionadas con la medicina.

*Médico, curar,* ........................................................................................

b. Busca los sustantivos que corresponden a estos verbos.

doler    enfermar    sufrir    reproducirse

**3.** Fernando y Matías están hablando de un torneo de baloncesto.
**a.** Escribe lo que dice Matías donde corresponda.

*Fernando*: ¿Sabías que la semana que viene el instituto organiza un torneo de baloncesto?
*Matías*:
*Fernando*: Espera, aquí tengo el folleto... Mira, es un torneo para todos los estudiantes y se celebra el sábado por la tarde.
*Matías*:
*Fernando*: Toma, ábrelo por la segunda página y lee las condiciones para participar.
*Matías*:
*Fernando*: Y yo... Podemos apuntarnos juntos, si quieres.
*Matías*:
*Fernando*: Sí, iré después de clase.
*Matías*:
*Fernando*: Vale, y tú, esta noche, habla con Carlos y Antonio, a ver si quieren apuntarse también.
*Matías*:
*Fernando*: De acuerdo. Hasta luego.

a. Y pídele más información.
b. A ver, a ver... Enséñamelo.
c. Genial. Ve a ver al *profe* de educación física esta tarde.
d. Pues no... ¿De qué va? Explícamelo.
e. Pues tengo muchas ganas de apuntarme.
f. Me llamas esta noche después de cenar para darme la información, ¿vale?

**b.** Ahora, completa estas frases con los verbos adecuados en Presente de Subjuntivo.

Matías le pide a Fernando que le _____ de qué va el torneo.
Luego le dice que le _____ el folleto.
Fernando aconseja a Matías que lo _____ por la segunda página y _____ las condiciones para participar.
Fernando sugiere a Matías que se _____ juntos al torneo.
Matías propone a Fernando que _____ a ver al profesor de educación física y le _____ más información.
Fernando le propone a Matías que esta noche _____ con dos compañeros del instituto, Carlos y Antonio.
Matías le pide a Fernando que le _____ esta noche después de cenar y le _____ la información.

**4.** Frases condicionales
Transforma las frases según el modelo.

Si me prestas tu diccionario podré terminar el ejercicio.
   *Tienes que prestarme tu diccionario para que pueda terminar el ejercicio.*
Si llamas a mi padre, nos llevará en coche a la playa el sábado.

_____

Si me das tu dirección, te mandaré una postal estas vacaciones.

_____

Si vamos a casa de Luis el domingo, nos enseñará a navegar por Internet.

_____

Si preparamos juegos para la fiesta, todos nuestros amigos se divertirán mucho.

_____

# Proyecto

## Describir una profesión

**1. a. Observa y di el nombre de estas profesiones.**

cocinero

electricista

fontanero

dentista

> **Es necesario que**
> - **sea** + cualidad (paciente, organizado...).
> - **le guste(n)** + afición (los niños, viajar...).
>
> **Algunos verbos:** enseñar, preparar, escribir, cortar, atender, cuidar, servir, diseñar, efectuar, proteger, investigar, estudiar, organizar, entrevistar, viajar, analizar, reparar, diagnosticar, vender, curar, idear, ayudar, asistir, elaborar, apagar, fabricar, instalar, redactar...

**b. Elige tres profesiones y completa una ficha para cada una.**

> Cualidades indispensables para ejercerla
> Actividades que realiza este profesional

**c. Ahora, presenta tus fichas a la clase. Tus compañeros tienen que decir a qué profesionales corresponden.**

> Es necesario que sea amable y que le guste el contacto con la gente. Trabaja de pie. Sirve comidas o bebidas.

> El camarero.

**2. Conjuga los verbos en Presente de Subjuntivo.**

1. La enfermera da una pastilla al enfermo para que no le (doler) _____ la cabeza.
2. Llevo mi motocicleta al taller para que el mecánico (reparar) _____ la rueda.
3. El fotógrafo saca varias fotos para que sus clientes (elegir) _____ las mejores.
4. El cliente llama al camarero para que le (servir) _____ unos refrescos.
5. El maestro sube el volumen de la radio para que los alumnos (oír) _____ bien el diálogo.
6. Llevo a mi gato al veterinario para que lo (curar) _____ .

# CHIC@S en la red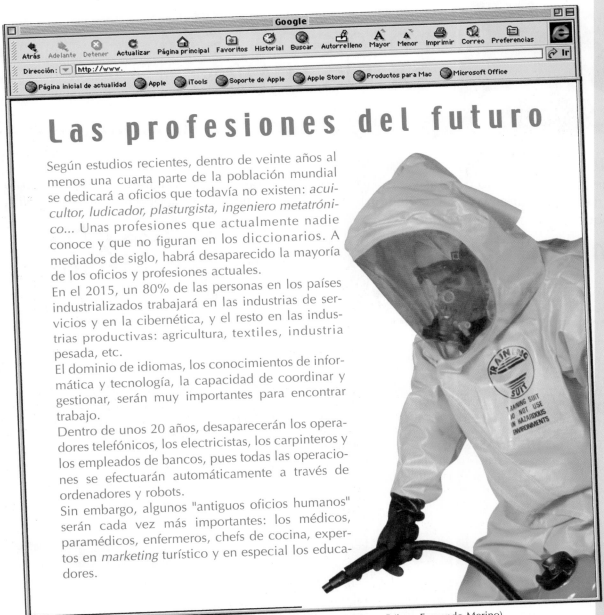

## Las profesiones del futuro

Según estudios recientes, dentro de veinte años al menos una cuarta parte de la población mundial se dedicará a oficios que todavía no existen: *acuicultor, ludicador, plasturgista, ingeniero metatrónico...* Unas profesiones que actualmente nadie conoce y que no figuran en los diccionarios. A mediados de siglo, habrá desaparecido la mayoría de los oficios y profesiones actuales.

En el 2015, un 80% de las personas en los países industrializados trabajará en las industrias de servicios y en la cibernética, y el resto en las industrias productivas: agricultura, textiles, industria pesada, etc.

El dominio de idiomas, los conocimientos de informática y tecnología, la capacidad de coordinar y gestionar, serán muy importantes para encontrar trabajo.

Dentro de unos 20 años, desaparecerán los operadores telefónicos, los electricistas, los carpinteros y los empleados de bancos, pues todas las operaciones se efectuarán automáticamente a través de ordenadores y robots.

Sin embargo, algunos "antiguos oficios humanos" serán cada vez más importantes: los médicos, paramédicos, enfermeros, chefs de cocina, expertos en *marketing* turístico y en especial los educadores.

Adaptado de: "Las profesiones del futuro" (Juan Fernando Merino)
www.parlo.com/es/explore/magazine/business/2000_12/profesionfuturol.asp

1. **¿Qué profesiones crees que desaparecerán? ¿Cuáles crees que existirán dentro de 20 años?**

2. **Imagina qué profesiones son:** *acuicultor, ludicador, plasturgista, ingeniero metatrónico.*

3. **Inventa una profesión del futuro. Envía tu descripción a** chicos–chicas@edelsa.es

# CON&texto

EL ANUNCIO PUBLICITARIO

## LA DECISIÓN ESTÁ EN TUS MANOS

**En FAD te lo ponemos fácil:**
Estudia lo que quieras, cuando quieras y donde quieras. Eso sí, contarás en todo momento con los materiales necesarios y el seguimiento de un amplio equipo de profesionales especializados. Nuestro enfoque... ¡claramente práctico!

**Informática**     Idiomas     Artes     Belleza y Moda

Salud     **Empresa**     Turismo y Hostelería

Técnicos

---

| El Encuadre | ETAPA PREVIA |
|---|---|
| | Vas a tener elementos externos para comprender mejor el texto |

**EL PRODUCTO Y LOS DESTINATARIOS:** busca en la publicidad el producto que se anuncia y sus características, así como el tipo de destinatario al que va dirigido. ¿Crees que todo el mundo puede acceder a este producto?

---

## COMPOSICIÓN

**1. IMAGEN:** observa la foto, los colores que predominan, los volúmenes, el logotipo... ¿Qué lugar ocupa la imagen en el anuncio, central o periférico?
**2. TEXTO:** distingue el eslogan del texto informativo. ¿Están bien relacionados entre sí? ¿Tienen sentido?
**3. ESCENIFICACIÓN:** fíjate en la situación representada y en el personaje. ¿Es un anuncio sugestivo, impactante, llamativo?

### OPINIÓN PERSONAL

¿Qué es lo que más te ha gustado y lo que menos del anuncio? ¿Por qué? Justifica tu respuesta.

---

## PROFUNDIZA

**1.** Cierra los ojos. ¿Qué recuerdas del anuncio?
**2.** ¿Que relación tienen la expresión "la decisión está en tus manos" con las imágenes?
**3.** ¿Qué estudios y profesiones crees que se ofrecen en cada sección?

# EL MUNDO HISPANO EN TU mochila

## El Mundo Azteca

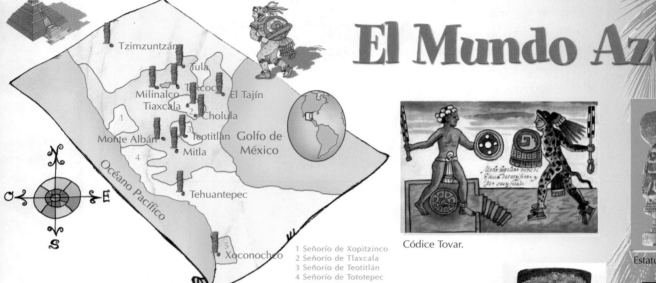

Tzimzuntzán
Tula
Texcoco
Milinalco
El Tajín
Tiaxcala
Cholula
Monte Albán
Teotitlán
Golfo de México
Mitla
Océano Pacífico
Tehuantepec
Xoconochco

1 Señorío de Xopitzinco
2 Señorío de Tlaxcala
3 Señorío de Teotitlán
4 Señorío de Tototepec
5 Xoconochco

Códice Tovar.

Máscara.

Atlantes. TULA.

Estatua de Coatlicue.

Colgante azteca.

Reproducción de templo azteca.

Calendario azteca.
Piedra del Sol.

Los aztecas, pueblo náhuatl originario del sur de Estado Unidos, llegaron al Valle de México a principios del siglo XIV. Pensaban que procedían de Aztlán, lugar mítico de desconocida situación geográfica. En 1325 fundaron Tenotchtitlán, su fabulosa capital, a partir de la cual extendieron su gran imperio. En 1521 los españoles lo conquistaron.

Para los aztecas, la religión era muy importante. Creían en la vida en el más allá: en un paraiso situado en el Sol y en un infierno. El rito más importante consistía en sacrificios humanos. Sus principales dioses eran: Quetzalcóatl, dios creador del hombre, Tláloc, dios de la lluvia y del agua, Coatlicue, diosa de la tierra, Meztlí, diosa de la luna y Centétl, dios del maíz. También existía el culto a Tonantzin, considerada madre de todos los dioses.

Hablaban una lengua llamada náhuatl y utilizaban una escritura a base de ideogramas, pictogramas y signos fonéticos. También desarrollaron un sistema aritmético.

Eran excelentes astrónomos: determinaron las revoluciones del Sol, de la Luna, de Venus y, probablemente, de Marte. Crearon un calendario religioso y otro civil que cada cierto tiempo coincidían.

Su economía se basaba en la agricultura. Cultivaban maíz, frijoles, tabaco... Practicaban el trueque como fórmula para comprar y vender.

La arquitectura azteca solo se conoce por los restos que sobrevivieron a la conquista española. Las edificaciones más representativas son los templos piramidales. Destacan los grandes centros ceremoniales de Teotihuacán, con las pirámides del Sol y de la Luna, y de Cholula.

# FICHA RESUMEN

## COMUNICACIÓN

- **Hablar de acciones habituales**
  *Cuando tengo tiempo, salgo a pasear y a tomar el sol.*
- **Hablar de acciones futuras**
  *Cuando acabe la carrera, trabajaré en un hospital.*
- **Dar instrucciones y consejos**
  *Te aconsejo que hables con tu profesor.*
- **Indicar finalidades**
  *Te doy una pastilla para que no te duela la cabeza.*
  *Luis va a clases de pintura para aprender a dibujar.*

## GRAMÁTICA

- **La oración temporal con *cuando* + Indicativo / Subjuntivo**
  *Cuando vas de viaje, siempre haces muchas fotos.*
  *Cuando tenga dinero, me compraré una bicicleta nueva.*
- ***Decir / pedir / aconsejar...* + Presente de Subjuntivo**
  *Me piden que les entregue mi currículum y dos fotos.*
  *Te aconsejo que te prepares el examen con tiempo.*
- **La oración final con *para que* + Infinitivo / Subjuntivo**
  *Mónica llama para avisar a sus padres del retraso.*
  *Escribo un correo para que me manden información.*

## VOCABULARIO

- **Adjetivos para describirse a sí mismo**
  *Sensible, alegre, solidario, perfeccionista, reservado, solitario, impulsivo, sociable, competitivo, extrovertido, constante, ordenado, afectivo, soñador...*
- **Las profesiones y sus actividades**
  *Profesor, cantante, bailarín, vendedor, abogado, bombero, enfermera, farmacéutico, periodista, peluquero, fotógrafo...*
  *Enseñar, redactar, investigar, entrevistar, diseñar, cuidar, viajar, analizar, proteger, diagnosticar, vender, curar...*

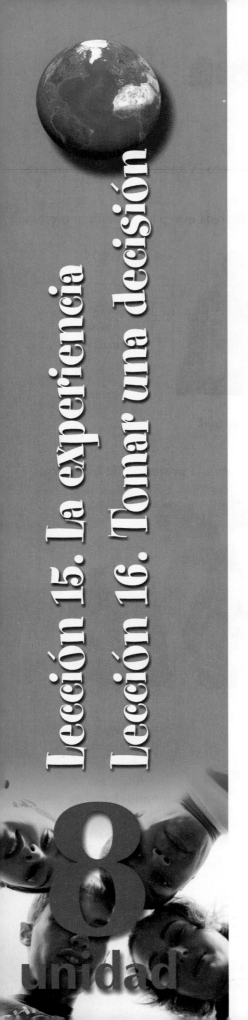

# Contenidos

## COMUNICACIÓN

- Describir una profesión de riesgo.
- Indicar el modo de hacer algo.
- Expresar deseos.
- Ofrecer ayuda.
- Formular esperanzas y buenos deseos.
- Hablar de hechos poco probables en el presente y en el futuro.

## GRAMÁTICA

- La formación de los adverbios en *–mente*.
- La expresión de deseos con Infinitivo y con Subjuntivo.
- Morfología del Imperfecto de Subjuntivo, regular e irregular, en la forma *–ra*.
- Uso del Imperfecto de Subjuntivo en la oración condicional.
- La oración condicional de difícil realización.

## VOCABULARIO

- Adjetivos para caracterizar una profesión de riesgo.
- Adverbios de modo.
- Expresiones de buenos deseos.

## PROYECTO

- Crónica del instituto.

## LECTURAS

- Chic@s en la red: en la página *web* de los voluntarios.

**1.** El padre de Virginia, el señor Cienfuegos, es bombero. Víctor le hace algunas preguntas sobre su trabajo.

**a. Antes de escuchar la conversación, marca con ✓ los adjetivos que para ti definen mejor...**

AL BOMBERO:

- [ ] responsable
- [ ] altruista
- [ ] valiente
- [ ] imprudente
- [ ] miedoso
- [ ] perezoso

A SU PROFESIÓN:

- [ ] fácil
- [ ] cansada
- [ ] peligrosa
- [ ] aburrida

**Explica por qué has elegido cada adjetivo. ¿Puedes añadir otros?**

 **b. Escucha la conversación y completa esta ficha sobre la profesión de bombero.**

## EL BOMBERO

- ¿Cómo se llama el lugar donde vive?
- ¿Qué uniforme lleva?
- ¿Cuál es su medio de transporte?
- ¿Qué intervenciones realiza?
- ¿Cuáles son las pruebas de selección para ser bombero?

**c. Completa estas frases con las expresiones del recuadro.**

- El bombero se entrena _____, porque es muy importante que siempre esté en excelentes _____.
- Cuando tiene que realizar una intervención, baja _____ por el tubo para salir del parque _____.
- A menudo, tiene que _____ incendios.
- Ayuda a las _____ y a los _____.
- Para ingresar en el cuerpo de bomberos hay que aprobar unas pruebas muy _____.

rápidamente
personas
difíciles
inmediatamente
animales
todos los días
apagar
condiciones físicas

 **d. Vuelve a escuchar la conversación y comprueba.**

**e. ¿Te gustaría ejercer esta profesión? Razona tu respuesta.**

**2.** **a. Observa: los adverbios de modo en -mente.**

Se añade -mente al adjetivo en femenino: *clara* > *claramente* = de manera clara.
Si el adjetivo lleva tilde, el adverbio también: *rápida* > *rápidamente*.

Cuando varios adverbios en **-mente** van seguidos, sólo el último lleva la terminación -mente.
Habla rápida y claramente. = *Habla de manera rápida y clara. / con rapidez y claridad.*

**b. Transforma las frases como en el ejemplo.**

EL SEÑOR CIENFUEGOS:

Habla con la anciana con paciencia.

> Habla con la anciana pacientemente.

- Se entrena con frecuencia y seriedad.
- Observa con tristeza la casa quemada.
- Atiende a los heridos con amabilidad.
- Ayuda al niño enfermo con cariño.
- Responde al teléfono con cortesía.
- Rescata al gato con rapidez y facilidad.

**3.** **a. Observa:**

**QUERER QUE + SUBJUNTIVO**

Cada verbo se refiere a una persona diferente.
*Quieres que te hable de mi trabajo.*

**QUERER + INFINITIVO**

Los verbos se refieren a la misma persona.
*¿Qué quieres saber?*

**b. Imagina qué quiere hacer cada una de estas personas.**

3. Cristina está estudiando con Pedro y le duele mucho la cabeza.

1. Patricia está sola en casa y se aburre.

Patricia quiere llamar a sus amigos para quedar con ellos. O a lo mejor quiere ir a casa de una amiga.

2. Elena está cuidando a su hermanito con su amiga Marta. Son las cinco y tienen hambre.

4. Álex le está enseñando su nuevo ordenador a Pablo.

 **c. Escucha. ¿A qué situación corresponde cada diálogo?**

**4.** **Ofrece tu ayuda a estas personas.**

- Tu compañero no sabe hacer el ejercicio de matemáticas.
- Otro compañero está enfermo; no ha venido a clase y necesita los apuntes de historia.
- Eduardo tiene que ir a visitar a un amigo al hospital, pero no quiere ir solo.
- Una vecina tuya está subiendo las escaleras con muchos paquetes.
- Un extranjero en tu ciudad está buscando una calle en un mapa.

**1.** Víctor habla con Matilde de su conversación con el señor Cienfuegos. Escucha y contesta a las preguntas.

- ¿Qué puede hacer Víctor para saber si es capaz de ejercer la profesión de bombero?
- ¿Qué le sugiere Matilde?

**Matilde:** Bueno, ¿qué tal ayer con el padre de Virginia?

**Víctor:** ¡Me encanta su trabajo! Es apasionante, pero... es muy difícil... mucho. Me gustaría ser bombero, pero no sé cómo reaccionaría si estuviera en un incendio o si tuviera que rescatar a una persona en un lago.

**Matilde:** Creo que es cuestión de entrenamiento, ¿no?

**Víctor:** Pues sí. Mañana es sábado, si pudiera pasar la tarde con él en el parque, vería cómo trabaja.

**Matilde:** ¿Por qué no hablas con él? Si yo estuviera en tu lugar, le llamaría.

**Víctor:** Pues esta noche iré a su casa antes de cenar. Espero que acepte.

**Matilde:** Sí, seguro que sí. Ya verás...

**Víctor:** Bueno, pues el domingo te llamo para contártelo.

**Matilde:** Vale. ¡Que lo pases bien!

**2.** a. Observa.

---

### EXPRESAR DESEO / ESPERANZA PARA EL FUTURO

Esperar que / Ojalá (que) + Presente de Subjuntivo
*Espero que / Ojalá (que) acepte.*

### EXPRESAR BUENOS DESEOS

¡Que + Presente de Subjuntivo!
*¡Que lo pases bien con el señor Cienfuegos!*

---

**b. Escucha. ¿A qué situación corresponde cada diálogo?**

1

2

3 CINE

4

5

**c. Con tu compañero, expresa deseos para cada situación.**

> Espero que haga bueno, que no llueva, que no me ponga malo, que no haya viento ni tiburones, que nade mucho, que vayan también todos mis amigos, que nos divirtamos mucho...

**d. Lee lo que te dicen estas personas y expresa buenos deseos.**

- Mañana voy a una fiesta.
- El lunes tengo un examen.
- Me voy a comer.
- Estoy constipado... ¡¡Aaaaaaachís!!
- ¡Adiós! Me voy al campo con mi tío en moto.

> **ALGUNAS IDEAS:**
> Pasarlo bien
> Disfrutar del viaje
> Tener suerte
> Ponerse pronto bueno
> Aprovechar

**3.** **a. Observa. Expresar hechos poco probables en el presente y en el futuro.**

---

### SI + IMPERFECTO DE SUBJUNTIVO + CONDICIONAL

*Si pudiera pasar un día en el parque, vería cómo trabajan los bomberos.*

---

### EL IMPERFECTO DE SUBJUNTIVO

Se forma a partir de la tercera persona del plural del Indefinido.

| | HABLAR | COMER | VIVIR |
|---|---|---|---|
| | 3ª pers. del plural del Indefinido | 3ª pers. del plural del Indefinido | 3ª pers. del plural del Indefinido |
| | habla -ron | comie -ron | vivie -ron |
| Yo | hablara | comiera | viviera |
| Tú | hablaras | comieras | vivieras |
| Él/ella, usted | hablara | comiera | viviera |
| Nosotros/as | habláramos | comiéramos | viviéramos |
| Vosotros/as | hablarais | comierais | vivierais |
| Ellos/as, ustedes | hablaran | comieran | vivieran |

Verbos irregulares: si la tercera persona del plural del Indefinido es irregular, el Imperfecto de Subjuntivo también lo es. (La terminación es siempre regular.)

| PEDIR | → pidie -ron | → pidiera, pidieras... |
|---|---|---|
| DORMIR | → durmie -ron | → durmiera, durmieras... |
| DAR | → die -ron | → diera, dieras... |
| ESTAR | → estuvie -ron | → estuviera, estuvieras... |
| HACER | → hicie -ron | → hiciera, hicieras... |
| IR | → fue -ron | → fuera, fueras... |
| PODER | → pudie -ron | → pudiera, pudieras... |

**b. ¿En qué situaciones harías estas cosas? Inventa frases según el modelo.**

- Rodar películas de aventuras.
- Irme de vacaciones.
- Prohibir los exámenes.

- Dar la vuelta al mundo.
- Comprar una motocicleta.
- Salir con mis amigos.

> Si fuera actor, rodaría películas de aventuras.

**1.** Completa estas frases con la preposión adecuada. Después, relaciona cada frase con su ilustración.

6. saltar _____ un puente _____ un río

☐ nadar _____ un lago

☐ correr _____ un camino

☐ trepar _____ una cuerda

☐ entrar _____ una casa

☐ salir _____ la calle

**2.** **a. Lee esta carta de Noemí.**

¡Hola, Silvia!

¡Por fin llegaron las vacaciones de Semana Santa!
Pero, ¿tú crees que estoy de vacaciones? Pues NO. Porque, ayer, antes de irnos, el *profe* de mates nos dijo que teníamos que repasar todas las lecciones; el de geografía, que debíamos buscar en Internet información sobre los ríos españoles, y la de inglés, que teníamos que aprendernos de memoria todos los verbos irregulares. ¡Y todo esto en vacaciones!
Y no acaban aquí mis problemas...
Primer día de vacaciones: esta mañana, mi madre me llama y me dice: "Recoge tu habitación, haz tu cama, pon la lavadora, friega los tazones del desayuno y limpia los cristales del comedor". Yo pensaba salir con mis amigos, escuchar un poco de música, jugar con los videojuegos, ver la tele...
¡¡Imposible!!
Luego, por la tarde, mi hermano me dice: "Noemí, ¿me enseñas a navegar por Internet?". Total: dos horas para enseñarle. Yo pensaba ir a casa de Verónica y pasear por el centro comercial y ver las tiendas de ropa. ¡¡Imposible!! A las cinco y media vuelve mi padre del trabajo: "Noemí, ve al supermercado y compra una cinta de vídeo para grabar la película de esta noche". Yo pensaba montar en bici y llamar a Carolina para jugar al baloncesto. ¡¡Imposible!!
¡Vivan las vacaciones!
Escríbeme pronto. Un abrazo,
Noemí

**b. Contesta a estas preguntas.**

• ¿Qué quiere el profesor de matemáticas? _____

• ¿Qué quiere el profesor de geografía? _____

• ¿Qué quiere la profesora de inglés? _____

• ¿Qué quiere su madre? _____

• ¿Qué quiere su hermano? _____

• ¿Qué quiere su padre? _____

• ¿Y qué quiere Noemí? _____

**3.** Lo que dice Javier
   a. Lee este texto.

> ¡Qué dolor de cabeza! He trabajado toda la mañana: historia, geografía, mates... ¡Ya no puedo más! Ahora no voy a salir, porque tengo un montón de planes para esta tarde y quiero estar en forma: voy a ir a casa de mis primos, que viven a 50 kilómetros de mi casa, y vamos a jugar la final del torneo de baloncesto, ¡qué nervios! Por la tarde vamos a ir a una fiesta gigante y mis primos me van a presentar a sus amigas. Por la noche, iremos todos al cine a ver una película de ciencia-ficción.

**b.** Ahora, expresa deseos, buenos deseos, para Javier. Usa los verbos y expresiones del cuadro.

tener buen viaje    ser simpáticas    ganar    mejorarse    divertirse    gustar    descansar

_____

_____

_____

_____

**4.** ¡Qué difícil es ser adolescente!
   Completa las frases de Matilde con los verbos de la lista en Imperfecto de Subjuntivo y Condicional.

poder    poner    dejarme    comprarme    poner    tener    ver
divertirme    enviar    salir    invitar    poner    ganar    regalarme

• Si mañana no  *tuviera*  un examen,  *vería*  la película esta noche.

• Si los profes no _____ tanto trabajo para los fines de semana, _____ con mis amigas más a menudo y _____ más.

• Si mis padres _____ , _____ a todas mis amigas a casa los sábados.

• Si mi hermano no _____ la música tan alta, _____ hacer los deberes.

• Si _____ dinero, _____ una motocicleta, un móvil y una chaqueta vaquera.

• Si mis padres _____ un móvil por mi cumpleaños, _____ mensajes a todas mis amigas.

# Crónica del instituto

**1.** Julián y María trabajan en el periódico escolar de su instituto. La semana pasada realizaron una gran encuesta a sus compañeros: ¿Qué harías si...?

**a.** Lee las respuestas de los estudiantes.

1. Si te tocaran 10 millones en la lotería.

> Me compraría muchas cosas: una moto, un ordenador, ropa, CD...
> Invitaría a todos mis amigos a una fiesta gigante.

2. Si pudieras viajar adonde quisieras.

> Daría la vuelta al mundo para conocer otras culturas.
> Visitaría las pirámides de Egipto, porque me fascina la arqueología.

3. Si dirigieras una cadena de televisión.

> Pondría muchos programas musicales, de deportes y reportajes.
> Quitaría las películas violentas.

4. Si trabajaras de periodista.

> Entrevistaría a deportistas y actores.
> Escribiría artículos sobre la sociedad.

5. Si tuvieras la posibilidad de eliminar algo en el mundo.

> Haría desaparecer la pobreza, las enfermedades y el hambre.
> Suprimiría las guerras, la violencia y el paro y prohibiría el trabajo infantil.

 **b.** Añade dos preguntas más a la encuesta. Después intercambia tus siete preguntas con otro grupo y escribe las respuestas de tu grupo. Por último, presenta los resultados a la clase y toma notas de las demás respuestas.

 **c.** Haz el balance de la actividad: pon todas las respuestas en común para encontrar las más frecuentes.

# CHIC@S en la red

**1. ¿Sabes qué hay que hacer para ser voluntario? Lee esta página *web*.**

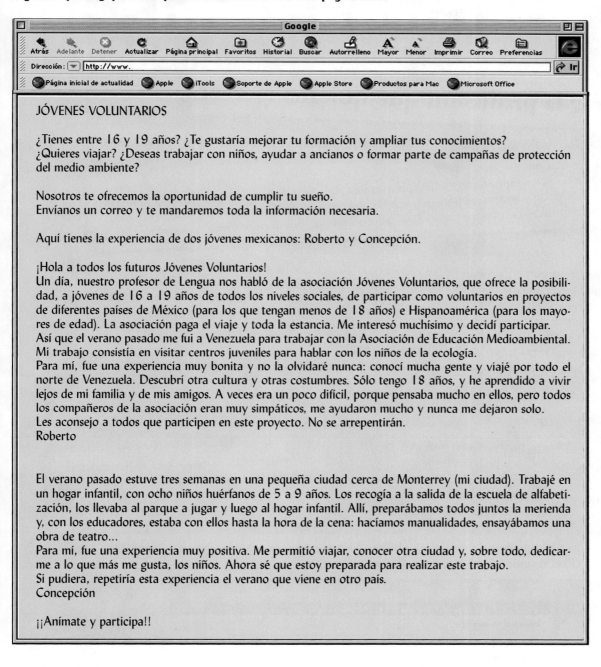

JÓVENES VOLUNTARIOS

¿Tienes entre 16 y 19 años? ¿Te gustaría mejorar tu formación y ampliar tus conocimientos?
¿Quieres viajar? ¿Deseas trabajar con niños, ayudar a ancianos o formar parte de campañas de protección del medio ambiente?

Nosotros te ofrecemos la oportunidad de cumplir tu sueño.
Envíanos un correo y te mandaremos toda la información necesaria.

Aquí tienes la experiencia de dos jóvenes mexicanos: Roberto y Concepción.

¡Hola a todos los futuros Jóvenes Voluntarios!
Un día, nuestro profesor de Lengua nos habló de la asociación Jóvenes Voluntarios, que ofrece la posibilidad, a jóvenes de 16 a 19 años de todos los niveles sociales, de participar como voluntarios en proyectos de diferentes países de México (para los que tengan menos de 18 años) e Hispanoamérica (para los mayores de edad). La asociación paga el viaje y toda la estancia. Me interesó muchísimo y decidí participar.
Así que el verano pasado me fui a Venezuela para trabajar con la Asociación de Educación Medioambiental. Mi trabajo consistía en visitar centros juveniles para hablar con los niños de la ecología.
Para mí, fue una experiencia muy bonita y no la olvidaré nunca: conocí mucha gente y viajé por todo el norte de Venezuela. Descubrí otra cultura y otras costumbres. Sólo tengo 18 años, y he aprendido a vivir lejos de mi familia y de mis amigos. A veces era un poco difícil, porque pensaba mucho en ellos, pero todos los compañeros de la asociación eran muy simpáticos, me ayudaron mucho y nunca me dejaron solo.
Les aconsejo a todos que participen en este proyecto. No se arrepentirán.
Roberto

El verano pasado estuve tres semanas en una pequeña ciudad cerca de Monterrey (mi ciudad). Trabajé en un hogar infantil, con ocho niños huérfanos de 5 a 9 años. Los recogía a la salida de la escuela de alfabetización, los llevaba al parque a jugar y luego al hogar infantil. Allí, preparábamos todos juntos la merienda y, con los educadores, estaba con ellos hasta la hora de la cena: hacíamos manualidades, ensayábamos una obra de teatro...
Para mí, fue una experiencia muy positiva. Me permitió viajar, conocer otra ciudad y, sobre todo, dedicarme a lo que más me gusta, los niños. Ahora sé que estoy preparada para realizar este trabajo.
Si pudiera, repetiría esta experiencia el verano que viene en otro país.
Concepción

¡¡Anímate y participa!!

## Nos interesa tu opinión.

**2. ¿Qué te parece este programa?**
**3. ¿Qué beneficios crees que puede aportar a los jóvenes?**
**4. Si pudieras participar, ¿cuál de las dos actividades elegirías?**
**5. ¿Conoces otros programas como este?**

**Manda tu texto a chicos-chicas@edelsa.es**

# Tarea final

## Definir la profesión que quieres ejercer

### 1. Primero prepara el vocabulario y las expresiones.

**a.** Elige una profesión.
Abogado, actor, arquitecto, artista, astronauta, azafata, bombero, cocinero, conductor, electricista, empresario, enfermero, entrenador, deportista, farmacéutico, ingeniero, juez, médico, militar, peluquero, periodista, piloto, policía, político, profesor, veterinario, etc.

**b.** Piensa en lo que consiste la profesión que has elegido. Selecciona al menos 3 acciones.
Analizar, apagar fuegos, asistir, atender, ayudar a la gente, bailar, cocinar, conducir, controlar, cortar el pelo, cuidar, curar, defender, diagnosticar, dirigir, diseñar, efectuar, elaborar, enseñar, entrenar, entrevistar, escribir, estudiar, fabricar, hablar, hacer películas, idear, instalar, investigar, juzgar, mandar, organizar, pintar, practicar, preparar, proteger, redactar, reparar, servir, vender, viajar, viajar por el espacio, vigilar, volar, etc.

**c.** Imagina el lugar de trabajo, lo que vas a necesitar, etc.

**d.** Describe lo que harás.

**e.** ¿Qué tienes que hacer para conseguir ser lo que quieres? Ordena los pasos.

*Primero voy a... Cuando...*

**f.** Imagina qué condiciones se tienen que cumplir para que tengas éxito.

*Si estudiara en la universidad, podría...*

### 2. Ahora escribe un correo y envíalo a chicos-chicas@edelsa.es Los mejores se publicarán. Tal vez recibas respuestas de otros estudiantes.

---

**chicos-chicas@edelsa.es**

**Nuevo mensaje**

Nombre:
Dirección electrónica:
Texto del mensaje:

# FICHA RESUMEN

## COMUNICACIÓN

- **Ofrecer ayuda**
  *¿Quieres que usemos mi ordenador?*
- **Expresar deseos**
  *¡Que lo pases bien!*
  *¡Que tengáis buen viaje!*
- **Formular esperanzas y buenos deseos**
  *Ojalá llegues pronto.*
  *Espero que tengas un buen viaje.*
- **Hablar de hechos poco probables en el presente y en el futuro**
  *Si pudiera viajar, daría la vuelta al mundo.*

## GRAMÁTICA

- **Adverbios en *-mente***
  *Fácil > fácilmente, clara > claramente.*
- ***Querer que* + Subjuntivo, *Querer* + Infinitivo**
  ▪ *¿Quieres que te cuente mi viaje a la India?*
  ▫ *Sí, cuenta, cuenta. Quiero saberlo todo.*
- ***Esperar que / Ojalá (que) / Que* + Presente de Subjuntivo**
  *Espero que todo te vaya bien.*
  *Ojalá (que) tus sueños se hagan realidad.*
  *¡Que te diviertas en la fiesta!*
- **El Imperfecto de Subjuntivo**
  **Verbos regulares:** *cantar > cantara, nacer > naciera, escribir > escribiera...*
  **Irregulares:** *dar > diera, estar > estuviera, hacer > hiciera, poder > pudiera, pedir > pidiera, ser / ir > fuera, dormir >durmiera...*
- ***Si* + Imperfecto de Subjuntivo + Condicional**
  *Si fuera periodista, entrevistaría a cantantes.*

## VOCABULARIO

- **Adjetivos para caracterizar una profesión de riesgo**
  *Cansada, peligrosa...*
- **Adverbios de modo**
  *Pacientemente, fácilmente, rápidamente, cariñosamente, seriamente, frecuentemente, cortésmente...*

# Compendio Gramatical

 **EL ADJETIVO CALIFICATIVO**

| SINGULAR | | PLURAL |
| --- | --- | --- |
| **MASCULINO** | **FEMENINO** | **MASCULINO / FEMENINO** |
| -o<br>*divertido*<br>-e/-ista<br>*paciente*<br>*egoísta* | -o/-a<br>*divertida*<br>-e/-ista<br>*paciente*<br>*egoísta* | terminados en vocal: + -s<br>*sincero / sinceros*<br>*generosa / generosas*<br>*amable / amables* |
| -or<br>*trabajador*<br>-án<br>*holgazán*<br><br>**Adjetivos invariables**<br>*difícil, fácil, fiel, hipócrita* | -ora<br>*trabajadora*<br>-ana<br>*holgazana*<br><br><br>*difícil, fácil, fiel, hipócrita* | terminados en consonantes: + -es<br>*trabajador / trabajadores*<br><br>terminados en -z: -z > -ces<br>*feliz / felices*<br><br>*difíciles, fáciles, fieles, hipócritas* |

 **EL SUPERLATIVO RELATIVO**

| *el / la / los / las* | + | sustantivo | + | *más / menos* | + | adjetivo |

*La ballena es el animal más grande del mundo.*

| *el / la / los / las* | + | sustantivo | + | *que* | + | *más / menos* | + | sustantivo / adverbio / Ø | + | verbo |

*El halcón es el animal que más rápido vuela.*
*Toledo es la ciudad española que más me gusta.*

 **LOS ADVERBIOS EN -*MENTE***

- Se añade -*mente* al adjetivo en femenino: *clara > claramente*.
Si el adjetivo lleva tilde, el adverbio también: *fácil > fácilmente*.
- El adverbio en -*mente* significa: *de manera* + adjetivo femenino / *con* + sustantivo
*claramente = de manera clara / con claridad.*
*rápidamente = de manera rápida / con rapidez.*
- Cuando varios adverbios en -*mente* se siguen, solo el último lleva la terminación -*mente*.
*Habla rápida y claramente. = Habla de manera rápida y clara. / con rapidez y claridad.*

## LOS PRONOMBRES RELATIVOS: *QUE, CUAL(ES), QUIEN(ES)*

| SIN PREPOSICIÓN ||
|---|---|
| **SE REFIERE A PERSONAS** | **SE REFIERE A COSAS** |
| *Tengo amigos. Estos amigos son muy divertidos.* | *El club organiza actividades. Me interesan estas actividades.* |
| ↓ | ↓ |
| *Tengo amigos que son muy divertidos.* | *Me interesan las actividades que organiza el club.* |
| **CON PREPOSICIÓN (*A, EN, DE, POR, PARA, CON...*)** ||
| preposición + *el / la / los / las que,*<br>*el / la / los / las cual(es), quien(es)* | preposición + *el / la / los / las que,*<br>*el / la / los / las cual(es)* |
| *Te presento a mis amigas.*<br>*Voy a ir al cine con estas amigas.* | *Madrid es una gran ciudad.*<br>*En Madrid hay muchos museos.* |
| ↓ | ↓ |
| *Te presento a las amigas con las que / las cuales /*<br>*quienes voy a ir al cine.* | *Madrid es una gran ciudad en la que / la cual hay*<br>*muchos museos.* |

## EL PRONOMBRE *LO*

- *Lo que* + (*más / menos...*) + verbo + *es / son* + nombre / Infinitivo
*Lo que más me gusta de España es la paella.*
- *Lo* + (*más / menos...*) + adjetivo + *es / son* + nombre / Infinitivo
*Lo menos interesante de esta película es la ambientación.*

## EL PRONOMBRE *SE*

- Para hablar de forma impersonal: *Se* + verbo en tercera persona del singular o del plural
*La lavadora es un aparato que se usa para lavar la ropa.*
*Los libros se compran en las librerías.*

## LOS INDEFINIDOS

| | **FRASES AFIRMATIVAS** | **FRASES NEGATIVAS** |
|---|---|---|
| COSAS<br>Y<br>ACCIONES | *¿Quieres tomar algo?* | *No, no quiero tomar nada.* |
| | *¿Quieres hacer algo?* | *No, no quiero hacer nada.* |
| PERSONAS | *¿Ha llamado alguien?* | *No, no ha llamado nadie. / Nadie ha llamado.* |
| COSAS<br>Y<br>PERSONAS | *¿Tienes algún bolígrafo azul?* | *No, no tengo    ninguno.*<br>*ningún bolígrafo azul.* |
| | *¿Tienes alguna amiga en Chile?* | |
| | *Me gustan estos CD, ¿me prestas alguno(s)?* | *No, no tengo    ninguna.*<br>*ninguna amiga en Chile.* |

| SER | ESTAR |
|---|---|
| • Identificar: *Soy Pedro.*<br>• Nacionalidad: *Eres boliviano.*<br>• Origen: *Julio es de Salamanca.*<br>• Profesión: *Mi padre es bombero.*<br>• Pertenencia: *Esta bicicleta es mía.*<br>• Materia: *Esta caja es de cartón.*<br>• Cualidades y características permanentes:<br>  *Silvia es simpática.*<br>  *Julio es moreno.*<br>• Hora: *Son las dos y media.*<br>• Precio: *¿Cuánto es? Son tres euros.*<br>• Destino: *Este libro es para ti.* | • Localizar en el espacio: *Estamos en el aula.*<br>• Estados físicos: *Estoy enfermo.*<br>• Estados anímicos: *¿Por qué estás triste?*<br>• Estar + Gerundio<br>  *Pedro está leyendo en su habitación.*<br>• Expresiones:<br>  *Estar de acuerdo.*<br>  *Estar a favor de / en contra de.*<br>  *Está bien / mal.*<br>  *Estar de pie / sentado / tumbado.* |

Algunos adjetivos cambian de sentido según se usen con *ser* o con *estar*.

| CON *SER* | CON *ESTAR* |
|---|---|
| • *ser listo* = *ser inteligente*<br>• *ser rico* = *tener mucho dinero*<br>• *ser malo* = *tener mal carácter*<br>• *ser aburrido* = *no gustar*<br>• *ser abierto* = *ser sincero*<br>• *ser blanco* = *ser de color blanco* | • *estar listo* = *estar preparado*<br>• *estar rico* = *estar delicioso*<br>• *estar malo* = *tener mal sabor*<br>• *estar aburrido* = *no divertirse*<br>• *estar abierto* = *no estar cerrado*<br>• *estar blanco* = *estar pálido* |

# CONJUGACIÓN

## PRETÉRITO INDEFINIDO

### VERBOS REGULARES

|  | HABLAR | COMER | VIVIR |
|---|---|---|---|
| yo | hablé | comí | viví |
| tú | hablaste | comiste | viviste |
| él, ella, Ud. | habló | comió | vivió |
| nosotros/as | hablamos | comimos | vivimos |
| vosotros/as | hablasteis | comisteis | vivisteis |
| ellos, ellas, Uds. | hablaron | comieron | vivieron |

### VERBOS IRREGULARES

• Verbos en e...ir

| PEDIR |
|---|
| pedí |
| pediste |
| pidió |
| pedimos |
| pedisteis |
| pidieron |

**Otros verbos:** corregir, elegir, impedir, preferir, repetir, seguir, sentir, servir, vestirse...

**Excepciones:** decir, venir.

• Verbos en o...ir

| DORMIR |
|---|
| dormí |
| dormiste |
| durmió |
| dormimos |
| dormisteis |
| durmieron |

**Otro verbo:** morir.

• Verbos terminados en **vocal** + -er/-ir

| CAER |
|---|
| caí |
| caíste |
| cayó |
| caímos |
| caísteis |
| cayeron |

**Otros verbos:** creer, incluir, leer, oír, huir, poseer...

**Excepción:** traer.

## VERBOS ESPECIALMENTE IRREGULARES

| ANDAR | CABER | DAR | DECIR | ESTAR | HABER |
|-------|-------|-----|-------|-------|-------|
| anduve | cupe | di | dije | estuve | hube |
| anduviste | cupiste | diste | dijiste | estuviste | hubiste |
| anduvo | cupo | dio | dijo | estuvo | hubo |
| anduvimos | cupimos | dimos | dijimos | estuvimos | hubimos |
| anduvisteis | cupisteis | disteis | dijisteis | estuvisteis | hubisteis |
| anduvieron | cupieron | dieron | dijeron | estuvieron | hubieron |

| HACER | IR | PODER | PONER | QUERER | SABER |
|-------|-----|-------|-------|--------|-------|
| hice | fui | pude | puse | quise | supe |
| hiciste | fuiste | pudiste | pusiste | quisiste | supiste |
| hizo | fue | pudo | puso | quiso | supo |
| hicimos | fuimos | pudimos | pusimos | quisimos | supimos |
| hicisteis | fuisteis | pudisteis | pusisteis | quisisteis | supisteis |
| hicieron | fueron | pudieron | pusieron | quisieron | supieron |

| SER | TENER | TRAER | VENIR | VER | CONDUCIR* |
|-----|-------|-------|-------|-----|-----------|
| fui | tuve | traje | vine | vi | conduje |
| fuiste | tuviste | trajiste | viniste | viste | condujiste |
| fue | tuvo | trajo | vino | vio | condujo |
| fuimos | tuvimos | trajimos | vinimos | vimos | condujimos |
| fuisteis | tuvisteis | trajisteis | vinisteis | visteis | condujisteis |
| fueron | tuvieron | trajeron | vinieron | vieron | condujeron |

\* Verbos en -ducir (reducir, traducir...)

## USOS

Para hablar de acontecimientos pasados introducidos con las siguientes referencias temporales:

- *anteayer, ayer, anoche...*
- *el otro día, el lunes / martes / miércoles...*
- *el año / verano / fin de semana... pasado / la semana / la primavera... pasada...*
- *hace un / dos / tres... día(s) / mes(es), año(s)...*
- *en enero / febrero...*
- *en 1999, 2001...*
- *el 13 de marzo / 26 de julio...*

 ## PRETÉRITO IMPERFECTO

### VERBOS REGULARES

| | HABLAR | COMER | VIVIR |
|---|--------|-------|-------|
| yo | hablaba | comía | vivía |
| tú | hablabas | comías | vivías |
| él, ella, Ud. | hablaba | comía | vivía |
| nosotros/as | hablábamos | comíamos | vivíamos |
| vosotros/as | hablabais | comíais | vivíais |
| ellos, ellas, Uds. | hablaban | comían | vivían |

**IR:** iba, ibas, iba, íbamos, ibais, iban.

**SER:** era, eras, era, éramos, erais, eran.

**VER:** veía, veías, veía, veíamos, veíais, veían.

- Describir en el pasado
*Mi casa era muy grande.*
- Hablar de actividades habituales en el pasado
*Cuando era niño, todos los veranos iba a casa de mis abuelos.*
- Transmitir informaciones dichas por otras personas: *Me dijo que* + Imperfecto
*Ayer, Sandra me dijo que estaba enferma.*

 **PRETÉRITO PLUSCUAMPERFECTO**

| *Haber* en Imperfecto  + | Participio pasado |
|---|---|
| había | hablado |
| habías | dormido |
| había                    + | vivido |
| habíamos | escrito |
| habíais | visto |
| habían | ... |

USOS

- Transmitir acontecimientos pasados contados por otras personas: *Me dijo que* + Pretérito Pluscuamperfecto
*Patricia me dijo que había ido a casa de Luis.*
- En un relato, para indicar acciones pasadas anteriores a otra acción o situación también pasadas
*Cuando llegué a casa, Pedro ya se había ido.*

 **FUTURO**

**VERBOS REGULARES**

| yo | | é |
|---|---|---|
| tú | | ás |
| él, ella, Ud. | hablar | á |
| nosotros/as | comer    + | emos |
| vosotros/as | vivir | éis |
| ellos, ellas, Uds. | | án |

**VERBOS IRREGULARES**

| | | |
|---|---|---|
| ● CABER | > | cabr- |
| ● DECIR | > | dir- |
| ● HABER | > | habr- |
| ● HACER | > | har- |
| ● PODER | > | podr- |
| ● PONER | > | pondr- |
| ● QUERER | > | querr- |
| ● SABER | > | sabr- |
| ● SALIR | > | saldr- |
| ● TENER | > | tendr- |
| ● VALER | > | valdr- |
| ● VENIR | > | vendr- |

+ é / ás / á / emos / éis / án

USOS

- Hablar del futuro, expresar planes y proyectos
*Este fin de semana iremos al cine.*
- Expresar condiciones con efectos futuros: *Si* + Presente + Futuro
*Si el sábado ganamos el partido, jugaremos la final.*
- Para hacer hipótesis en el presente
*Juan no está en casa. Estará en casa de su amigo Pedro.*

**EL FUTURO COMPUESTO**

| *Haber* en Futuro + | Participio pasado |
|---|---|
| habré | hablado |
| habrás | dormido |
| habrá + | vivido |
| habremos | escrito |
| habréis | visto |
| habrán | ... |

**USOS**

• Hacer hipótesis sobre el pasado
*Lucía no contesta al teléfono, habrá salido.*

 **EL CONDICIONAL**

**VERBOS REGULARES**

| yo | | ía |
|---|---|---|
| tú | | ías |
| él, ella, Ud. | hablar | ía |
| nosotros/as | comer + | íamos |
| vosotros/as | vivir | íais |
| ellos, ellas, Uds. | | ían |

**VERBOS IRREGULARES**

(Son los mismos que en Futuro.)

| • **CABER** > cabr- | |
|---|---|
| • **DECIR** > dir- | ía / ías / ía / íamos / íais / ían |
| • **HABER** > habr- | |
| • ... | |

**USOS**

• Formular preguntas indirectas
*Me gustaría saber dónde va a cantar Shakira este verano.*
• Pedir y dar consejos
 ▪ *¿Qué harías en mi lugar?*
 ▪ *En tu lugar, hablaría con ella.*

• Solicitar algo de forma cortés
*¿Podrías ayudarme?*
*Me gustaría ir a casa de Pedro.*
• Hacer propuestas
*Deberíamos escribir a Pedro.*
*Tendríamos que leer este libro.*

 **PRESENTE DE SUBJUNTIVO**

**VERBOS REGULARES**

| | HABLAR | COMER | VIVIR |
|---|---|---|---|
| yo | hable | coma | viva |
| tú | hables | comas | vivas |
| él, ella, Ud. | hable | coma | viva |
| nosotros/as | hablemos | comamos | vivamos |
| vosotros/as | habléis | comáis | viváis |
| ellos, ellas, Uds. | hablen | coman | vivan |

**VERBOS IRREGULARES**

• **Verbos con cambios vocálicos**

| CERRAR | VOLVER | PEDIR* | PREFERIR** | DORMIR*** |
|---|---|---|---|---|
| cierre | vuelva | pida | prefiera | duerma |
| cierres | vuelvas | pidas | prefieras | duermas |
| cierre | vuelva | pida | prefiera | duerma |
| cerremos | volvamos | pidamos | prefiramos | durmamos |
| cerréis | volváis | pidáis | prefiráis | durmáis |
| cierren | vuelvan | pidan | prefieran | duerman |

• **Verbos con 1ª persona irregular en Presente de Indicativo**

| DECIR / dig -o | PRESENTE DE SUBJUNTIVO | | |
|---|---|---|---|
| diga | hacer | hag | / a |
| digas | poner | pong | / as |
| diga | salir | salg | / a |
| digamos | tener | teng | / amos |
| digáis | conducir | conduzc | / áis |
| digan | traducir | traduzc | / an |

\* Se comportan igual otros verbos: en *e...ir*, excepto los que terminan en -*entir*, -*erir*, -*ervir* (menos **servir**, que funciona igual que **pedir**), -*ertir*.

\*\* Se comportan igual los verbos terminados en -*entir*, -*erir*, -*ervir*, -*ertir* (**mentir**, **sentir**, **divertirse**...).

\*\*\* Otro verbo: **morir**.

● **Otros verbos irregulares**

| DAR | ESTAR | HABER | IR | SABER | SER | VER |
|---|---|---|---|---|---|---|
| dé | esté | haya | vaya | sepa | sea | vea |
| des | estés | hayas | vayas | sepas | seas | veas |
| dé | esté | haya | vaya | sepa | sea | vea |
| demos | estemos | hayamos | vayamos | sepamos | seamos | veamos |
| deis | estéis | hayáis | vayáis | sepáis | seáis | veáis |
| den | estén | hayan | vayan | sepan | sean | vean |

USOS

● Expresar la opinión: *No creo que* + Presente de Subjuntivo
*No creo que llueva* esta tarde.

● Indicar necesidad: *Es indispensable / necesario / importante / mejor* + Presente de Subjuntivo
*Es importante que vuelvas* antes de las diez.

● Con el relativo *que* para indicar las características que debe tener algo o alguien
*Vamos a inventar un bolígrafo que no cometa faltas de ortografía.*

● Hacer hipótesis sobre el presente o el futuro
*Si no llueve, esta tarde quizá vayamos al parque.*

● Hablar de acciones futuras: *Cuando* + Presente de Subjuntivo + Futuro
*Cuando trabaje me compraré un móvil.*

● Dar instrucciones y consejos: *Decir / pedir / aconsejar / sugerir / prohibir / proponer / recomendar...* + *que* Presente de Subjuntivo
*Te recomiendo que leas este libro, es muy interesante.*

● Expresar finalidad
*Te presto mi móvil para que puedas llamar a tus padres.*

● Manifestar deseos
*Quiero que vengas mañana a mi casa.*

● Indicar esperanza para el futuro: *Esperar que / Ojalá* + Presente de Subjuntivo.
*Espero que / Ojalá llegues pronto.*

● Formular buenos deseos: *¡Que* + Presente de Subjuntivo!
*¡Que te diviertas!*

 **EL PERFECTO DE SUBJUNTIVO**

| Haber en Presente de Subjuntivo | + | Participio pasado |
|---|---|---|
| haya | | hablado |
| hayas | | dormido |
| haya | + | vivido |
| hayamos | | escrito |
| hayáis | | visto |
| hayan | | ... |

USOS

● Hacer hipótesis sobre el pasado
*Julio no me ha llamado, quizá haya perdido mi número de teléfono.*

 **EL IMPERFECTO DE SUBJUNTIVO**

Se forma a partir de la 3ª persona del plural del Pretérito Indefinido.

**VERBOS REGULARES**

| HABLAR | COMER | VIVIR |
|---|---|---|
| habla -ron hablara | comie -ron comiera | vivie -ron viviera |
| hablaras | comieras | vivieras |
| hablara | comiera | viviera |
| habláramos | comiéramos | viviéramos |
| hablarais | comierais | vivierais |
| hablaran | comieran | vivieran |

## VERBOS IRREGULARES

Si la tercera persona del plural del Pretérito Indefinido es irregular, el Imperfecto de Subjuntivo también lo es.
(La terminación es siempre regular)

| | | | |
|---|---|---|---|
| • PEDIR | pidie -ron | > | pidiera, pidieras... |
| • DORMIR | durmie -ron | > | durmiera, durmieras... |
| • DAR | die -ron | > | diera, dieras... |
| • ESTAR | estuvie -ron | > | estuviera, estuvieras... |
| • HACER | hicie -ron | > | hiciera, hicieras... |
| • IR | fue -ron | > | fuera, fueras... |
| • PODER | pudie -ron | > | pudiera, pudieras... |
| ... | | | |

### USOS

• Para expresar hechos pocos probables: *Si* + Imperfecto de Subjuntivo + Condicional.
*Si tuviera mucho dinero daría la vuelta al mundo.*

## PREGUNTAS DIRECTAS E INDIRECTAS

| Preguntas con interrogativo | Me gustaría / Quiero saber / preguntarle... |
|---|---|
| *¿Dónde vives?* | *...saber dónde vive.* |
| *¿Cuántos años tienes?* | *...cuántos años tiene.* |
| **Preguntas sin palabra interrogativa** | *Me gustaría / Quiero saber / preguntarle...* |
| *¿Vives en Barcelona?* | *... si vive en Barcelona.* |

## TRANSMITIR LAS PALABRAS DE OTRAS PERSONAS

• Transmitir informaciones: *Me dijo que* + Pretérito Imperfecto
*Ayer, Sandra me dijo que le gustaba mucho el cine.*
• Transmitir acontecimientos pasados: *Me dijo que* + Pretérito Pluscuamperfecto
*Elena me dijo que había visto a Juan.*
• Transmitir planes y proyectos: *Me dijo que* + Condicional
*Sofía me dijo que iría a la piscina.*
• Transmitir una pregunta con interrogativo: *Me preguntó que* + interrogativo + pregunta
*¿Dónde vive José? Me preguntó que dónde vivía José.*
• Transmitir una pregunta sin interrogativo: *Me preguntó que* + *si* + pregunta
*¿Te gusta la película? Me preguntó si me gustaba la película.*

## Ámbito 1. Personal
**Unidad 1**
**Lección 1. ¿Sabes cómo eres?**

**Página 13, actividad 2. b.**

Matilde: Mira, un test. Voy a hacértelo.
Rubén: No, que no me gustan los test.
Matilde: ¡Venga! Es para saber si eres independiente. Son sólo dos minutos.
Rubén: Bueno.
Matilde: ¡Bien! Uno. Estás buscando una dirección en una ciudad muy grande y te pierdes. Uy, con lo distraído que eres, ya te habrá pasado varias veces. Bueno. A. Consultas el mapa y encuentras el sitio tú mismo. Be. Preguntas a un policía. Ce. Te pones nervioso.
Rubén: Pff... No sé. Pregunto a un policía, supongo.
Matilde: Dos. ¿Cómo es tu pareja ideal?
Rubén: Pues, inteligente, atractiva...
Matilde: Espera, espera. Tienes que elegir una de las respuestas, no te precipites. A ver. A. Una persona aventurera y amante de los viajes. Be. Es muy romántica y siempre se ocupa de ti. Ce. Debe tener mucha iniciativa.
Rubén: Uy... ¡Repite!
Matilde: Aventurera y amante de los viajes. Romántica y que siempre se ocupa de ti. Con mucha iniciativa.
Rubén: Pues, A. Sí, creo que A, aventurera y no sé qué más de los viajes.
Matilde: Tres. Un domingo te levantas antes que tus padres y...
Rubén: Como todos los domingos.
Matilde: Y tienes mucha hambre. A. Te preparas un desayuno completo. Be. Despiertas a tus padres y les pides el desayuno. Ce. Tomas un vaso de leche y unas galletas.
Rubén: A, por supuesto.
Matilde: Cuando vas de excursión o de viaje, ¿quién te prepara la mochila?
Rubén: Yo, siempre la preparo yo.
Matilde: Muy bien. Entonces, respuesta A. Y la última. Cuando tienes un problema, A. Buscas tú la solución. Be. Pides ayuda a tus amigos. Ce. Primero buscas la solución y, si no la encuentras, hablas con tus padres.
Rubén: No sé, depende... Pues, la C.
Matilde: Ya está, a ver los resultados.

**Lección 2. Los jóvenes de hoy**

**Página 14, actividad 2.**

Periodista: Hola. Perdona, estoy haciendo una encuesta

sobre los jóvenes. ¿Te puedo hacer unas preguntas?

Rubén: Sí, sí, muy bien.

Matilde: Yo también quiero contestar.

Periodista: ¿Los dos? Perfecto. Bueno, vamos a ver. La primera pregunta: "¿Qué temas te interesan?".

Rubén: A mí me gustan mucho los deportes y, por eso, me interesa el fútbol, el baloncesto... También me interesan las motos. Ah, y la naturaleza.

Matilde: La naturaleza, a mí también, y la ciencia. Me encanta leer cosas sobre la ciencia. Me divierte hacer experimentos en el laboratorio, conocer nuevos descubrimientos.

Periodista: Muy bien. La segunda pregunta: "¿Qué te preocupa?".

Rubén: ¿Que qué me preocupa? Pues me preocupan mucho los problemas de medio ambiente. Me encantan los animales y la naturaleza y por eso me molesta mucho lo que se está haciendo con el medio ambiente.

Matilde: Sí, sí, a mí también. No soporto la contaminación, los animales en peligro de extinción, la tala de bosques... También me preocupa la investigación genética. Me da miedo el desarrollo científico en ese sentido.

Periodista: Y la última pregunta... "¿Cuáles son tus sueños?".

Matilde: Uy, yo quiero viajar, dar la vuelta al mundo, conocer muchos países. Quiero vivir en otro país un tiempo, no sé, por ejemplo en Argentina.

Rubén: Pues yo, tener un trabajo interesante, algo relacionado con animales, por ejemplo veterinario de un zoo o algo así.

Periodista: ¡Ya está! Muchas gracias.

## Página 16, actividad 2

Matilde: ¿Cómo es Isabel? Pues... es muy simpática y muy graciosa. No es ni orgullosa, ni envidiosa, y... no es nada egoísta. A veces parece un poco nerviosa, pero es bastante tranquila, nunca se enfada.

Borja: ¿Isabel? ¿Qué cómo es Isabel? Parece simpática, pero no lo es. Es mentirosa, bastante. Todo el mundo dice que es divertida, mentira... no es nada divertida, es aburrida, y tonta.

El profesor: Isabel es muy inteligente y trabajadora. A veces es un poco tímida, sobre todo cuando tiene que salir a la pizarra. Sin embargo, es bastante parlanchina. Es muy sociable, en el instituto tiene muchos amigos. Ah... y es muy educada, también.

Su madre: Isabel es muy inteligente y cariñosa. Pero es vaga... pero vaga... En casa, no hace nada. Y es muy desordenada, su habitación es un desastre.

Su hermano: Isabel es muy habladora, a veces, habla durante más de una hora por teléfono con su amiga Matilde. Es muy desordenada y un poco traviesa también. Y es egoísta, nunca quiere prestarme sus CD.

## Unidad 2
## Lección 3. La música del siglo XXI

### Página 24, actividad 3. b.

Periodista: Buenos días a todos y bienvenidos a "Top Joven", el programa musical de los jóvenes de hoy. Hoy está con nosotros Ricky Martin. Si quieres hablar con él en directo, llama al 522 55 42 88.

Buenos días, Ricky. Gracias por participar en nuestro programa. Cuéntanos, ¿qué tal va todo?

Ricky Martin: Pues muy bien. Acabo de terminar una gira por Latinoamérica para promocionar mi último trabajo...

Periodista: Tu último disco está ya en todas las listas de ventas. ¿Nos podrías decir cuál es el secreto de tu éxito?

Ricky Martin: Bueno... Mi disco tiene baladas y canciones con ritmos latinos muy pegadizos.

Periodista: Parece que tenemos una llamada. Buenos días.

Oyente 1: Buenos días. Ricky, me gustaría saber cómo empezaste en el mundo de la canción.

Ricky Martin: Empecé en 1984 con el grupo «Menudo», tenía 12 años. Recorrimos toda Sudamérica y grabamos una telenovela. En 1989, abandoné el grupo y comencé mi carrera en solitario.

Periodista: Ah... tenemos otra llamada. ¡Hola!

Oyente 2: Buenos días. Yo querría saber qué tipo de canciones prefieres.

Ricky Martin: Bueno... me gustan las rápidas, porque me encanta bailar, pero también las lentas, soy muy romántico.

Periodista: Ricky, ¿cuáles son tus mejores recuerdos como cantante?

Ricky Martin: Bueno, cuando interpreté la canción de la Copa del Mundo de fútbol en la ceremonia de la entrega de los Premios Grammy en 1999 y luego me dieron el Grammy por la mejor interpretación pop latina.

Periodista: Para terminar, ¿cuáles son tus proyectos?

Ricky Martin: A mí me gusta el contacto directo con mi público, y voy a hacer una gira por Europa y, luego, Estados Unidos y Canadá.

## Lección 4. Relaciones familiares

### Página 26, actividad 2. a.

1.

Periodista: Bienvenidos a "Tienes la palabra". Nuestra primera llamada. ¡Hola! ¿Cómo te llamas?

Virginia: Virginia. Primero querría decirte que me encanta tu programa.

Periodista: Gracias, Virginia. A ver, cuéntame.

Virginia: No me llevo muy bien con mis padres porque son muy anticuados. No me dejan hacer nada, no puedo salir por las noches con mis amigas... Es muy difícil hablar con ellos porque no pensamos igual. ¿Qué puedo hacer?

Periodista: Todos los adolescentes piensan lo mismo. Yo que tú, intentaría ponerme en su lugar. No olvides que ellos también fueron adolescentes y saben muy bien qué problemas puedes tener. En tu lugar, trataría de demostrarles, con pequeñas cosas, que soy responsable y que pueden confiar en mí. Ya verás como poco a poco se soluciona.

2.

Periodista: Hola, Rubén. ¿Cuál es tu problema?

Rubén: Pues mira, en mi instituto tengo una amiga que me gusta y creo que yo le gusto. Pero no sé cómo hablar con ella ni qué decirle. ¿Tú qué harías en mi lugar?

Periodista: Yo que tú, después de clase, la invitaría a tomar algo y aprovecharía para hablar con ella de cualquier cosa: música, cine... Así podrás observar sus reacciones, ver si tenéis muchas cosas en común y saber si le gustas de verdad.

3.

Matilde: Hola, soy Matilde.

Periodista: Hola, Matilde. Dime.

Matilde: Pues yo llamo porque tengo problemas con mi hermana. Ella es menor que yo. Tiene 12 años. Compartimos la habitación y no nos va muy bien. Siempre nos enfadamos y discutimos por todo. Yo soy muy ordenada, ella es desordenada, nunca recoge la habitación, todo está hecho un desastre. No sé qué hacer.

Periodista: En casi todas las familias hay problemas entre hermanos, sobre todo cuando tienen una gran diferencia de edad. En tu lugar, intentaría no enojarme con ella, trataría de pensar como ella para entenderla. Deberías compartir las tareas, por ejemplo, cada una recoge sus cosas y hace su cama; tú pasas la aspiradora y ella limpia el polvo.

4.

Víctor: Hola, yo soy Víctor y mi problema es el siguiente: el otro día estaba en el parque con mi prima Elena. Bueno, Elena es mi prima y mi mejor amiga y hasta ahora nos iba todo muy bien. Estábamos los dos en un banco y vimos un chico que venía en nuestra dirección. Yo le dije en voz baja: "¡qué feo!". Y ella me contestó que era su novio. Desde ese día ya ni me habla. Está muy enfadada conmigo. ¿Qué puedo hacer?

Periodista: Deberías hablar con ella y decirle que fue una broma. Ya verás como te perdona, pues eres su mejor amigo, ¿no?

## Ámbito 2. Escolar
Unidad 3
Lección 5. Una excursión del instituto

**Página 36, actividad 1. c.**

Guía: Asociación de los Amigos de la Naturaleza de Andalucía, ¡buenos días!

Profesora: ¡Buenos días! Llamo del Instituto Antonio Machado. Quería informarme de sus actividades en Doñana para organizar una actividad con mi grupo.

Guía: Sí. El Parque Natural de Doñana está situado en Andalucía...

Profesora: Sí, sí. Ya. Pero quería saber las actividades que organiza su asociación y...

Guía: Como sabrá, en el Parque hay una gran diversidad de paisajes. Están las marismas, las dunas de las playas, bosques, etc. Organizamos rutas con guías por las marismas. Allí podrán ver las diversas especies de aves migratorias, que vienen a pasar el invierno aquí: águilas imperiales, ciervos, gamos, jabalíes, tortugas, etc. Todos los animales en su hábitat natural, claro. Tendrán la oportunidad de ver el lince ibérico, que está en peligro de extinción.

Profesora: ¿Son rutas a pie y con guía?

Guía: Todas las rutas son con guía. Los monitores con quienes estarán sus estudiantes conocen perfectamente el Parque y tienen la formación necesaria para llevar a grupos de escolares. Ellos les explicarán la historia del Parque y les mostrarán lugares interesantes desde los que poder observar la naturaleza salvaje del lugar.

Profesora: Me parece muy interesante. ¿Y sólo ofrecen excursiones a pie?

Guía: Doñana es un Parque muy grande en el cual hay dunas móviles de gran interés y, por eso, también tenemos excursiones a caballo y en vehículos todo terreno para recorrer las playas y los bosques.

Profesora: ¿Qué ruta me recomienda?

Guía: Yo le recomiendo la ruta 1, con la que recorrerá las marismas. Lo más interesante, quizás, son las lagunas de las marismas y la enorme cantidad de aves. Tenemos una guía con las diferentes especies. Si quiere, para preparar la excursión, se la puedo enviar.

Profesora: Sí, por favor. Con una descripción del Parque y formas de organizar el viaje, de reservar el guía, etc.

## Lección 6. El Día de la Tierra

**Página 39, actividad 3. b.**

Profesora: Hoy, chicos, es el Día Internacional de la Tierra. ¿Quién sabe por qué?

Rubén: Yo. Sé que, como hay muchos problemas ecológicos, hace unos años algunas organizaciones dijeron que si seguimos contaminando la Tierra, nuestro planeta morirá. Por eso se decidió que hay que hacer esta celebración todos los años y ahora participa casi todo el mundo.

Virginia: ¿Y sirve para algo?

Rubén: Sí, se están haciendo muchas cosas en este Día de la Tierra. Por ejemplo, el año pasado, en Viena, los ciudadanos plantaron árboles para luchar contra la contaminación urbana.

Matilde: En Madrid se planta un árbol por cada niño que nace. Es bonito, ¿no?

Rubén: Además, en Burkina Faso hubo una competición ciclista para demostrar que existen otros medios de transporte que no contaminan.

Profesora: ¿Qué otras ideas se les ocurren?

Víctor: A mí me parece que es importante educar a la gente. Es necesario hacer campañas de concienciación.

Matilde: Yo el año pasado participé en la limpieza de basuras de la playa. Lo mejor es hacer pequeñas acciones, así la gente se dará cuenta de que se pueden hacer muchas cosas.

Rubén: Es conveniente también tener muchos centros para reciclar el papel, las pilas, el plástico, etc., en cada barrio.

Virginia: Y está muy bien utilizar los papeles por los dos lados. Porque gastamos mucho papel. Si seguimos así, no quedarán árboles.

**Unidad 4**
**Lección 7. Ciudadano del Mundo**

**Página 48, actividad 2. a.**

Rubén: Bueno, entonces ¿cuál es la tarea?
Virginia: Tenemos que hacer un trabajo sobre varios países. También tenemos que hacer intercambios por Internet con algunos estudiantes.
Rubén: Muy bien, pues empecemos. ¿A ti qué es lo que te interesa, Virginia?
Virginia: Pues, saber cómo viven los jóvenes de mi misma edad en otros países; por ejemplo, qué comen, qué hacen durante las vacaciones, qué asignaturas estudian...
Víctor: Y conocer algo de sus países: cultura, información geográfica...
Rubén: Entonces tenemos que escoger países de Hispanoamérica. También nos podemos poner en contacto con algunos estudiantes franceses e ingleses, ¿no?
Virginia: Pues claro. Lo importante es ponerse de acuerdo, saber qué queremos hacer y prepararlo todo antes de ponernos en contacto con los otros estudiantes.
Rubén: Lo que más me gustaría es estudiar algún país lejano, así habrá más diferencias con nosotros.
Víctor: Sí, pero yo no conozco a nadie. Además, no tenemos ninguna información previa.
Virginia: Pues eso es lo mejor. Como no tenemos nada, lo tenemos que buscar todo.
Víctor: Muy bien. Lo que necesitamos entonces es una enciclopedia para informarnos. ¿Tienes una?
Virginia: Pues no, no tengo ninguna en casa. Pero en la biblioteca del instituto habrá algunas, digo yo. Y para eso está Internet y los *chats*, ¿no? Seguro que hay un foro o un lugar donde poder contactar con alguien de otros países.
Rubén: Venga, vamos a hacer una lista de los países que nos interesan y vamos a entrar en la Red, a ver qué hay.

**Lección 8. Intercambio cultural**

**Página 50, actividad 2. a.**

Rubén: Oye, Virginia. ¿Qué tal el intercambio?
Virginia: Pues muy bien. Bueno, al principio no quería ir, no tenía ganas, tenía miedo de aburrirme, pero todos los profesores me lo aconsejaron. Y tenían razón, lo pasé muy bien, al final no quería volver. Mi familia es muy simpática. Un día repetiré la experiencia.
Rubén: ¿Y qué hiciste?
Virginia: Muchas cosas: visité la ciudad, los museos, estuve en fiestas... Pero lo que más me gustó es que conocí mucha gente diferente.
Rubén: Y tuviste que trabajar, porque allí todo es muy caro, ¿no?
Virginia: Sí. Como no están tus padres, si necesitas dinero, tienes que aprender a arreglarte tú las cosas. Yo cuidé niños los sábados por la tarde.
Rubén: ¿Y conociste a alguien interesante?
Virginia: Pues sí, conocí a un chico estupendo y todavía nos comunicamos por Internet.
Rubén: Sí, sí... ahora entiendo por qué quieres volver...
Virginia: Venga, cambiemos de tema. Yo te aconsejo la expe-

riencia, el año que viene, tienes que ir.
Rubén: De acuerdo, pero... ¿con o sin novia?

**Página 51, actividad 2. b.**

Rubén: Ayer hablé con Virginia.
Víctor: Es verdad... El domingo volvió del intercambio. Todavía no he hablado con ella. ¿Qué te dijo?
Rubén: Pues me dijo que al principio no quería ir porque tenía miedo de aburrirse. Pero me comentó que todos los profesores se lo aconsejaron.
Víctor: Sí, sí, ya me acuerdo. Decía que no tenía muchas ganas de ir. Y al final, ¿qué tal lo pasó?
Rubén: Muy bien. Me contó que su familia era muy simpática. Y que se lo había pasado tan bien que repetirá experiencia.
Víctor: ¿Pero qué hizo?
Rubén: Me dijo que había visitado los museos y que había estado en muchas fiestas.
Víctor: ¡Qué suerte!
Rubén: También me dijo que en una fiesta había conocido a un chico muy simpático y que era su novio.
Víctor: ¡No me digas!
Rubén: Mira, ahí viene...
Virginia: ¡Hola chicos! ¿Qué tal?
Rubén: Hola, Virginia.

**Ámbito 3. Público**
**Unidad 5**
**Lección 9. El mundo a tu alrededor**

**Página 60, actividad 2. a.**

Matilde: Es de papel y bastante pequeño. Normalmente es cuadrado o rectangular, pero también puede ser de otras formas. Ah... una cosa importante, es adhesivo.
Rubén: ¡Facilísimo, es el sello!
Ahora me toca a mí. Normalmente es rectangular. Puede ser grueso o fino. Es de papel y puede tener una parte de cartón.
Matilde: No sé... dame otra pista.
Rubén: Pues... contiene textos, fotos...
Matilde: ¡Ya está! Es el libro.
A ver... Uno difícil... Es pequeño y rectangular. Es duro. Tiene partes de plástico y otras de metal. Puede ser de varios colores.
Rubén: ¿Un despertador?
Matilde: No, te doy más pistas: es bastante ligero y portátil, y muy, muy útil. Algunos son muy pequeños, tienen juegos y pueden enviar fotos. Algunos también son plegables. Otra cosa importante: funciona con batería.
Rubén: El móvil.
A mí... Es bastante grande y muy pesado. Es de metal, de plástico, de tela y de cristal. Es ruidoso pero muy útil. Es rápido. Puede ser eléctrico, pero normalmente, funciona con gasolina. Tiene un problema, es contaminante.
Matilde: ¡Facilísimo! El coche.
Bueno, la última no es ni cuadrada, ni redonda, ni triangular, ni rectangular, porque se compone de elementos que tienen varias formas. Es de metal y tiene algunas partes de otros materiales. Puede ser plegable, grande o pequeña. Es ligera,

silenciosa, también puede ser rápida. Algunas son de carretera y otras de montaña. No es eléctrica y no funciona con pilas ni con gasolina. Es muy ecológica.
Rubén: La bicicleta.

## Lección 10. El mejor invento de la humanidad

### Página 62, actividad 2.

Virginia: Para ti, ¿cuál es el invento más importante de la humanidad?
Víctor: Uff... Es muy difícil contestar, es que hay muchísimos.
Virginia: Ya. Pero, dime uno, o dos.
Víctor: A ver... Pues... creo que es la televisión, porque puedes ver películas, descubrir otros países, jugar, saber lo que está pasando en el mundo sin salir de casa. Y pienso que en el futuro habrá miles de canales: de cine, de música, de juegos, de reportajes sobre los animales, de ciencia...
Virginia: Yo no creo que la tele sea el invento más importante. Y tampoco creo que dentro de unos años haya miles de canales, me parece un poco exagerado. ¡Nos pasaríamos horas haciendo *zapping*! Para mí, es Internet, porque permite intercambiar información en muy poco tiempo con personas que están en el otro lado del mundo. Y puedes encontrar de todo. Es genial. Y creo que muy pronto toda la gente estará conectada a la Red.
Víctor: ¡Qué va! Yo no creo que todo el mundo pueda comprarse un ordenador. ¿Te imaginas?, todos conectados y pasando todo el tiempo delante del ordenador...
Mira, se me ocurre otro invento: los cohetes, para viajar al espacio. Creo que, a finales de siglo, el hombre irá de vacaciones a Marte, bueno, a Marte o a la Luna. Y pienso que nos visitarán extraterrestres.
Virginia: No estoy de acuerdo, no creo que nos visiten extraterrestres, porque no creo que existan.
Víctor: ¡Que sí!
Virginia: ¡Anda ya!
Víctor: Calla, calla... Escucha... Escucha... Ahí vienen... ¡Te lo dije!
Virginia: ¡Pero qué dices! ¡Si es mi hermano, que está jugando con los videojuegos en la habitación de al lado!

## Unidad 6
## Lección 11. El concurso de inventos

### Página 73, actividad 3.

Profesor: Vamos a ver... Tú, Rubén, ¿qué propones?
Rubén: Pues yo, un robot que realice todas las tareas domésticas: que limpie, que barra, que lave, que prepare la comida...
Virginia: ¡Y que haga nuestros deberes!
Todos: Sí... ¡Genial!
Profesor: Pues este robot puede ser muy útil para las personas mayores o con problemas de movilidad.
Y tú, Víctor, ¿qué propones?
Víctor: Pues, yo propongo una máquina que tenga una silla y que suba las escaleras, para personas minusválidas.
Profesor: Me parece una muy buena idea.
Rubén: Esa máquina ya existe, el otro día vi una en una película de la tele.

Profesor: Efectivamente, ya existe.
A ver... ¿Matilde?
Matilde: Pues un robot-guía.
Víctor: ¿Un robot-guía?
Matilde: Sí, que ayude a los ciegos a desplazarse, en su casa, en el autobús o en la calle.
Profesor: ¿Como el perro lazarillo?
Matilde: Sí, pero un robot.
Profesor: Rubén, ¿qué te parece?
Rubén: Bueno, es interesante, pero creo que un perro para un ciego es mejor, es como un amigo. Un robot es muy frío.
Virginia: Estoy de acuerdo con Rubén.
Profesor: Y tú, ¿qué propones?
Virginia: No sé... Debe ser útil, ¿no?
Profesor: Sí, útil y original.
Virginia: No sé... ¡Ah sí! Un libro parlante.
Matilde: ¿Un libro parlante?
Virginia: Un libro que hable, para enseñar a los niños a leer. Cuando el niño lo abre, ve el texto escrito y, al mismo tiempo, puede escucharlo y así aprende a leer.

## Lección 12. ¿Quién habrá ganado?

### Página 74, actividad 1. a.

Madre: Pepe, ¿qué hora es?
Padre: Las ocho.
Madre: ¡Las ocho, ya! ¡Y esta chica que no llama...! Es muy tarde. Dijo que el concurso terminaba a las 7 y que me llamaría.
Padre: Tranquila, mujer. Quizás no hay un teléfono público allá.
Madre: Pero si tiene mi móvil para poder llamar. Pues voy a llamarla yo... No contesta.
Padre: Bueno, seguramente lo tendrá apagado. No sé... O tal vez no pueda hablar ahora.
Madre: ¿Sí? O no les fue bien en el concurso y no quieren hablar. Dentro de unos minutos la vuelvo a llamar.
Padre: Seguro que ya habrán terminado y, a lo mejor, lo estarán celebrando.
Madre: Sí, hombre... ¡Vaya!
Padre: Pero, ¿qué pasa?
Madre: ¡Nada! ¡Pues que ahora está comunicando!
Padre: Tranquila. Es probable que ella te esté llamando. Anda, cuelga.
Madre: ¿Sí? Hija, ¿eres tú?
Virginia: Sí... ¿Qué pasa? Llevo diez minutos llamando y estaba comunicando.
Madre: Bueno, hija... ¿qué tal el concurso?
Virginia: ¡Somos los campeones! ¡Ganamos!

## Ámbito 4. Profesional
## Unidad 7
## Lección 13. Elegir la profesión

### Página 85, actividad 3. a.

Rubén: El otro día mi tutor estuvo hablando conmigo sobre qué quería hacer cuando termine el instituto y no supe qué decirle.

Virginia: Pues yo lo tengo muy claro. Quiero ser fotógrafa. Me gusta mucho la fotografía y...

Rubén: Sí, sí. Yo también sé qué quiero ser cuando sea mayor. Yo voy a ser veterinario. Pero la pregunta es qué vas a hacer cuando termines el instituto para prepararte para tu futuro.

Virginia: Ah, pues muy fácil. Cuando termine el instituto, me matricularé en un curso de fotografía. Cuando sepa un poquito, me pondré como loca a hacer fotos, para perfeccionarme, ¿sabes? Cuando ya sea buena, haré una exposición de fotos y me contratarán en una revista y...

Rubén: ¿No eres un poco soñadora? Las cosas no son así. Yo creo que hay que pensar qué pasos tienes que dar para hacer las cosas.

Matilde: Rubén tiene razón. Yo estoy pensando en hacer algún trabajo social en una ONG que trabaje con enfermos, para adquirir un poco de experiencia y... bueno, estoy segura de que, cuando haga ese trabajo, podré decidir mucho más claramente qué es lo que quiero hacer.

Rubén: Es buena idea. Yo estoy pensando en buscar información en Internet o hablar con alguien que sea veterinario y me pueda orientar o..., no sé, no sé.

## Lección 14. Buscando información

### Página 86, actividad 1. a.

Virginia: ¿Me podría ayudar a buscar información sobre la carrera de fotógrafo?

Tutor: ¿Quieres ser fotógrafa?

Virginia: Sí, fotógrafa de animales. Pero no sé muy bien qué hay que hacer.

Tutor: Bueno... Sabes que en el instituto tenemos un club de fotografía, ¿no?

Virginia: No, no lo sabía.

Tutor: Pues tienes que ir y hablar con el responsable. Se llama José. Él te dirá cómo apuntarte y te explicará todo lo que puedes hacer en el club.

Virginia: ¡Qué bien!

Tutor: Así, podrás sacar tus primeras fotos. Pídele que te enseñe las fotos que sacaron los alumnos del curso pasado, ya verás, son preciosas. ¿Tienes Internet en casa?

Virginia: Sí, sí. ¿Por qué?

Tutor: Podrías buscar sitios sobre fotografía, así sabrás exactamente en qué consiste la profesión. ¿Sabes cómo buscar?

Virginia: Sí, sí, conozco un buscador buenísimo.

Tutor: Bien.

Virginia: ¿Me puede indicar qué estudios hay que cursar para ser fotógrafa?

Tutor: A ver... Mira, aquí tienes un libro sobre orientación profesional con la descripción de todas las carreras... A ver... fotógrafo... Aquí está: página 125.

Virginia: ¿Me lo puedo llevar?

Tutor: Por supuesto. Aquí tienes.

Virginia: Muchas gracias.

Tutor: Bueno, ¡ya tienes trabajo!

Virginia: Sí, sí, muchas gracias.

Tutor: Pues ven a verme otra vez dentro de dos o tres semanas.

Virginia: De acuerdo. Adiós.

Tutor: Adiós.

### Página 87, actividad 3. b.

Matilde: Buenos días, doña Dolores. ¿Qué tal está usted hoy?

Doña Dolores: Bueno, hija... regular.

Matilde: Le he traído estas revistas para que no se aburra, sé que le encantan.

Doña Dolores: Ay... hija, gracias. Hoy me duele la cabeza. Me duele mucho.

Matilde: ¿Llamo a la enfermera para que le dé unas pastillas?

Doña Dolores: No, gracias, hija... ¿Te vas a quedar un poquito conmigo?

Matilde: Por supuesto. Para que no esté sola.

Doña Dolores: El sábado mi nieta me trajo estos bombones, te voy a dar uno para que lo pruebes. Toma hija, toma.

Matilde: Muchas gracias. Mm, ¡qué ricos! Cuidado, doña Dolores, ya sabe usted que no puede tomar dulces.

Doña Dolores: Oye, ¿te puedo pedir un favor?

Matilde: Sí, claro, dígame.

Doña Dolores: Ayer escribí a mi hijo, ¿te puedo dar la carta para que la eches al buzón?

Matilde: ¡Cómo no!

Doña Dolores: Uy... ¡Las cuatro! ¿Me pones la tele? Es la hora de la telenovela. Es que me gusta mucho y no me pierdo ni un capítulo.

Matilde: Con mucho gusto.

Doña Dolores: Ven, hija, siéntate, siéntate, que va a empezar. Te voy a contar el episodio de ayer. Pues resulta que Elvira llega al castillo y ve a un hombre en el jardín...

## Unidad 8
## Lección 15. La experiencia

### Página 96, actividad 1. b.

Bombero: Quieres que te hable de mi trabajo, ¿no? A ver, dime, ¿qué quieres saber?

Víctor: ¿En qué consiste?

Bombero: Pues mira... Estamos en el parque y nos entrenamos.

Víctor: ¿Se entrena todos los días?

Bombero: Sí, para estar siempre en forma. El entrenamiento es muy importante. Cuando suena la alarma, tenemos que bajar inmediatamente por el tubo, ponernos el equipo de protección, subirnos al camión y salir rápidamente, porque, si hay un incendio, debemos llegar lo antes posible.

Víctor: ¿Y qué otras cosas hace?

Bombero: Apagamos incendios, levantamos árboles caídos en las carreteras... También nos llaman personas mayores para que rescatemos a su gatito de un árbol.

Víctor: ¡Hace muchas cosas!

Bombero: Sí, muchas. Yo soy submarinista y, a veces, tengo que zambullirme en lagos o ríos muy fríos para salvar personas.

Víctor: ¿Y qué hay que hacer para ser bombero?

Bombero: Primero tienes que presentarte a unas oposiciones y hacer pruebas físicas como nadar, correr, saltar, subir por escaleras... Luego, hay un test psicológico para ver cómo es tu carácter. Después, vas a una academia para aprender el oficio.

**Página 97, actividad 4. c.**

1.
• Tengo hambre.
• Yo también. ¿Quieres un bocadillo?
• Sí, de queso, por favor.
• ¡No hay pan! Y ahora no puedo ir a la panadería, mi madre no quiere que deje solo a mi hermano.
• ¿Quieres que vaya yo?
• Sí, sí... Compra una barra.
• De acuerdo.
• Oye, compra también dos pasteles...
• Bueno...
• De chocolate, ¿eh?... ¿Vale?

2.
• ¡Qué difícil es este ejercicio!
• Pues sí, es dificilísimo.
• ¿Llamamos a Juan para que nos ayude?
• Es superdifícil, tal vez no lo haya terminado.
• Sí, tal vez. Venga, seguimos un poco. Y cuando terminemos, salimos a dar una vuelta, ¿vale?
• Pff...
• ¿Qué te pasa?
• Me duele mucho la cabeza.
• Tómate una aspirina.
• No tengo.
• ¿Quieres que vaya a mi casa a buscar una?
• No, no... ¿Por qué no salimos ahora, y luego continuamos?
• Bueno, vale.

3.
• Conozco un sitio de juegos genial. ¿Quieres que juguemos un rato?
• Vale.
• Vas a ver... es genial.
• ¿Qué pasa? ¡No funciona! ¿Pero qué pasa?
• Páralo, páralo.
• ¿Y ahora qué hacemos?
• ¿Quieres que vayamos a mi casa y continuemos con el ordenador de mi papá?
• Vale, vamos.

4.
• ¿Sí? ¿Diga?
• Hola Sonia.
• Hola, ¿qué tal?
• ¿Qué estabas haciendo?
• Estaba leyendo un poco. ¿Y tú?
• Pff... Nada...
• ¿Quieres que quedemos en el centro?
• No, prefiero que vengas a mi casa.
• ¿A qué hora?
• Pues, ¿ahora?
• Vale. Pero no podré quedarme mucho tiempo, mi madre quiere que vaya con ella a casa de mi tía.
• Muy bien, hasta ahora.

**Lección 16. Tomar una decisión**

**Página 98, actividad 2. b.**

1.
• Ojalá vengan todos mis amigos.
• Yo espero que tus papás nos dejen solos.
• Sí, ayer me dijeron que se irían...
• Pues espero que se vayan.

2.
• Espero que sea interesante y que haya mucho suspense.
• Sí, es muy interesante. Mi primo la vio la semana pasada, y me dijo que, al final, el detective llega...
• ¡Calla, calla! No me la cuentes.

3.
• Espero que haga buen tiempo para tomar el sol.
• Yo espero que el mar esté tranquilo y podamos nadar un poco.
• Es la primera vez que yo voy a navegar.
• ¿Sí? Pues espero que no te pongas malo.

4.
• Ojalá sea fácil.
• ¿Que sea fácil? ¡Ya sabes que el *profe* siempre nos pone exámenes muy complicados!
• Bueno, por lo menos, que no sea muy largo.
• ¡Que no sea muy largo! ¡Qué dices! Tres páginas, por lo menos, como siempre, ya verás...
■ Yo espero que no haya preguntas sobre la Revolución Industrial, porque no la estudié.
■ Bueno chicos, espero que todos estudiaran muy bien la lección sobre la Revolución Industrial. Tomás, distribuye las preguntas, por favor.
■ ¡Anda ya!... la Revolución Industrial... Uuuu...

5.
• Espero que no le duela mucho.
• Sí, y que salga pronto, sobre todo. Es que, estar en un hospital tiene que ser muy aburrido.
• ¿Vamos a visitarle esta tarde?
• Vale, espero que pueda recibir visitas.

# Glosario

| ESPAÑOL | ITALIANO | FRANCÉS | INGLÉS | ALEMÁN | PORTUGUÉS |
|---------|----------|---------|--------|--------|-----------|
| **UNIDAD 1** | **UNIDAD 1** | **UNIDAD 1** | **UNIDAD 1** | **UNIDAD 1** | **UNIDAD 1** |
| aburrir | annoiare | ennuyer | to bore | langweilen | chatear, entediar |
| acompañar | accompagnare | accompagner | to accompany | begleiten | acompanhar |
| alegrar | far felice | se réjouir | to be pleased | erfreuen | alegrar |
| amable | gentile | aimable | kind | freundlich | amável/agradável |
| amante | appassionato | passionné de | keen on | Liebhaber | amante |
| ambiente (el) | ambiente, ecosistema | environnement | environment | Umwelt | ambiente |
| amor (el) | amore | amour | love | Liebe | amor |
| apariencia (la) | apparenza | apparence | appearance | Aussehen | aparência |
| apoyar | appoggiare | appuyer | to support | unterstützen | apoiar |
| aprobar | approvare | être reçu/-e | to pass | genehmigen | aprovar |
| aspiración (la) | aspirazione | aspiration, souhait | aspiration | Wunsch | aspiração |
| atención (la) | attenzione | attention | attention | Aufmerksamkeit | atenção |
| atento/a | gentile | cordial | helpful | aufmerksam | atento/a, atencioso/a |
| aventurero/a | avventuriero/a | aventurier/-ière | adventurer | abenteuerlich | aventureiro/a |
| ayuda (la) | aiuto | aide | help | Hilfe | ajuda |
| buen/bueno/a | buon/-o/a | bon/ne | good | Gut | bom/boa |
| carácter (el) | carattere | caractère | character | Charakter | carater |
| carrera (la) | laurea | études universitaires | degree course | Studium | carreira |
| casarse | sposarsi | se marier | to get married | heiraten | casar-se |
| cierto | certo | sûr | certain | gewiss | verdade |
| cine (el) | cinema | cinéma | cinema | Kino | cinema |
| compartir | condividere | partager | to share | teilen | compartilhar/dividir |
| completo/a | completo/a | complet/-e | complete | vollständig | completo/a |
| comprensión (la) | comprensione | compréhension | understanding | Verständnis | compreensão |
| comprensivo/a | comprensivo/a | compréhensif/-ive | understanding | verständnisvoll | compreensivo/a |
| confianza (la) | fiducia | confiance | confidence | Vertrauen | confiança |
| considerar | considerare | considérer | to consider | glauben | considerar |
| consulta (la) | consiglio, parere | consultation | enquiry | Anfrage | consulta |
| convencido/a | convinto/a | convaincu/-e | convinced | überzeugt | convicto/a |
| cosa (la) | cosa | chose | thing | Gegenstand | coisa |
| cualidad (la) | cualità | qualité | quality | Qualität | qualidade |
| dar | dare | donner | to give | geben | dar |
| deber | dovere | devoir | must | müssen | dever |
| delicioso/a | delizioso/a, squisito/a | délicieux/-euse | delicious | köstlich | delicioso/a |
| dinero (el) | soldi | argent | money | Geld | dinheiro |
| dirección (la) | indirizzo | adresse | address | Adresse | endereço |
| ecología (la) | ecologia | écologie | ecology | Ökologie | ecologia |
| economía (la) | economia | économie | economy | Wirtschaft | economia |
| emocional | emozionale | émotif | emotional | emotional | emocional |
| encuesta (la) | sondaggio | sondage | survey | Umfrage | pesquisa, enquete |
| enfermo/a | malato/a | malade | ill | krank | doente |
| equivocarse | svagliarsi | se tromper | to make a mistake | sich täuschen | enganar-se |
| espacio (el) | spazio | espace | space | Platz | espaço |
| estable | stabile | stable | secure | dauerhaft | estável |
| estar de acuerdo | essere d'accordo | être d'accord | to agree | einverstanden sein | estar de acordo, concordar |
| extraterrestre (el) | alieno | extraterrestre | extraterrestrial | Außerirdischer/Außerirdische | extraterrestre |
| falso/a | falso/a | faux/-sse | false | falsch | falso |
| fiel | fedele | fidèle | loyal | treu | fiel |
| fiesta (la) | festa | fête | party | Fest | festa |
| finalizar | finire, concludere | terminer | to finish | beenden | finalizar |
| físico (el) | fisico | physique | physicist; physician | physisch | físico |
| futuro (el) | futuro | avenir | future | Zukunft | futuro |
| galleta (la) | biscotto | petit beurre, biscuit | biscuit | Keks | bolacha, biscoito |
| gozar | godere | être | to enjoy | genießen | gozar |
| gran/grande | grande | grand/-e | great; large | groß | grande |
| grupo (el) | gruppo | groupe | group | Gruppe | grupo |
| guardar | mantenere | garder | to keep | hüten | guardar |
| gustar | piaccere | aimer | to like | mögen | gostarde |
| hambre (el) | fame | faim | hunger | Hunger | fome |
| hipócrita | ipocrita | hypocrite | hypocritical | scheinheilig | hipócrita |
| honestidad | onestà | honnêteté | honesty | Ehrlichkeit | honestidade |
| horror (el) | orrore | horreur | horror | Entsetzen | horror |
| ideal | ideale | idéal | ideal | ideal | ideal |
| identificarse | identificarsi | s'identifier | to identify oneself | sich identifizieren | identificar-se |
| importante | importante | important | important | wichtig | importante |
| importar | interessare | importer | to matter | importieren | importar |
| independiente | indipendente | indépendant/-e | independent | unabhängig | independente |
| iniciativa (la) | iniziativa | initiative | initiative | Initiative | iniciativa |
| injusticia (la) | ingiustizia | injustice | injustice | Ungerechtigkeit | injustiça |
| interés (el) | interesse | intérêt | interest | Interesse | interesse |
| interesar | interessare | intéresser | to interest | interessieren | interessar |
| joven | giovane | jeune | young | jung | jovem |
| lógico/a | logico/a | logique | logical | logisch | lógico/a |
| luchar | lotta | lutter | to fight | kämpfen | lutar |
| lugar | luogo, posto | lieu | place | Ort | lugar |
| mapa | mappa | carte, plan | map | Landkarte | mapa |
| mayor | maggiore | âgé, aîné | older; larger | größer | maior |
| miedo (el) | paura | peur | fear | Furcht | medo |
| moda (la) | moda | mode | fashion | Mode | moda |
| molestar | disturbare | gêner | to bother | belästigen | incomodar, perturbar |
| momento (el) | momento | moment | moment | Augenblick | momento |
| nervioso/a | nervoso/a | nerveux/-euse | nervous | nervös | nervoso/a |
| objetivo (el) | obiettivo | but | objective | Zweck | objetivo |
| ocuparse | occuparsi | s'occuper | to see to | sich beschäftigen | ocupar-se |
| opinar | opinare, pensare | penser | to think | meinen | opinar |
| origen (el) | origine | origine | origin | Ursprung | origem |
| paciente | paziente | patient/-e | patient | Patient | paciente |
| pálido/a | pallido/a | pâle | pale | blass | pálido/a |
| parecer | sembrare | sembler | to seem | scheinen | parecer |
| pareja (la) | partner, coppia | petit copain | partner | Partner | casal |
| pasarle | succedere, capitare | arriver quelque chose | to happen to someone | passieren | acontecer |
| pena (la) | pena | peine | pity | schade | pena |
| piel (la) | pelle | peau | skin | Haut | pele |
| policía (la) | polizia | police | police/policewoman | Polizei | polícia |
| política (la) | politica | politique | politics | Politik | política |
| poner | mettere | mettre | to put | werden | pôr |
| principal | principale | principal | principal | hauptsächlich | principal |
| problema (el) | problema | problème | problem | Problem | problema |
| profesional | professionale | professionel | professional | beruflich | profissional |
| público/a | pubblico/a | public/-que | public | öffentlich | público/a |
| realidad (la) | realtà | réalité | reality | Wirklichkeit | realidade |

| religión (la) | religione | religion | religion | Religion | religião |
| respeto (el) | rispetto | respect | respect | Respekt | respeito |
| responsable | responsabile | responsable | responsible | verantwortlich | responsável |
| resultado (el) | risultato | résultat | result | Ergebnis | resultado |
| rico/a | ricco/a, buono/a | riche, bon | rich | reich, lecker | rico/a, gostoso/a |
| ruido (el) | rumore | bruit | noise | Lärm | barulho |
| saber | sapere | savoir | to know | wissen | saber |
| sabor (el) | sapore | saveur, goût | taste | Geschmack | sabor |
| salud (la) | salute | santé | health | Gesundheit | saúde |
| secreto (el) | segreto | secret | secret | Geheimnis | segredo |
| seguro/a | sicuro/a | sûr/-e | safe | sicher | certo/a |
| siglo (el) | secolo | siècle | century | Jahrhundert | século |
| significado (el) | significato | sens | meaning | Bedeutung | significado |
| sin embargo | comunque | cependant | however | trotzdem | porém |
| sincero/a | sincero/a | sincère | sincere | aufrichtig | sincero/a |
| sitio (el) | luogo, posto | lieu | place | Platz | lugar |
| social | sociale | social | social | sozial | social |
| solo/a | solo/a | seul/-e | alone | allein | só |
| solución (la) | soluzione | solution | solution | Lösung | solução |
| soportar | sopportare | supporter | to stand | ertragen | suportar |
| sueño (el) | sogno | rêve | dream | Traum | sonho |
| terror (el) | terrore | terreur | terror | Schrecken | terror |
| tolerante | tollerante | tolérant/-e | tolerant | tolerant | tolerante |
| tormenta (la) | tempesta | tempête, orage | torment | Gewitter | tempestade |
| triste | triste | triste | sad | traurig | triste |
| único/a | unico/a | unique | only | einzig | único/a |
| universidad (la) | università | université | university | Universität | universidade |
| utilizar | usare | utiliser | to use | benutzen | utilizar |
| vaso (el) | bicchiere | verre | glass | Glas | copo |
| verdad (la) | verità | vérité | truth | Wahrheit | verdade |
| viajar | viaggiare | voyager | to travel | reisen | viajar |
| videojuego (el) | videogioco | jeu video | video game | Videospiel | vídeogame |
| violencia (la) | violenza | violence | violence | Gewalt | violência |
| vivir | vivere | vivre | to live | leben | viver |

| **UNIDAD 2** | **UNIDAD 2** | **UNIDAD 2** | **UNIDAD 2** | **UNIDAD 2** | **UNIDAD 2** |
| --- | --- | --- | --- | --- | --- |
| acabar de | avere appena finito di | venir de | to have just… | soeben etw. getan haben | acabar |
| activo/a | attivo/a | actif/-ive | active | aktiv | ativo/a |
| actualidad (la) | attualità | actualité | present time | aktuelle Situation | atualidade |
| actuar | agire, recitare | jouer | to act | spielen | atuar |
| altruista | altruista | altruiste | altruistic | uneigennützig | altruísta |
| aprovechar | approfittare | profiter | to use | ausnutzen | aproveitar |
| aspiradora (la) | aspirapolvere | aspirateur | vacuum cleaner | Staubsauger | aspirador |
| atreverse | avere il coraggio | oser | to dare | sich trauen | atrever-se |
| balada (la) | ballata | ballade | ballad | Ballade | balada |
| bien | bene | bien | well | gut | bem |
| broma (la) | scherzo | plaisanterie | joke | Scherz | brincadeira |
| calor (el) | caldo | chaleur | heat | Hitze | calor |
| cantar | cantare | chanter | to sing | singen | cantar |
| casa (la) | casa | maison | house | Haus | casa |
| castigar | punire | punir | to punish | bestrafen | castigar |
| centrado/a | centrato | centré | centred | zentriert | centralizado/a |
| común | comune | commun/-e | common | gewöhnlich | comum |
| consultorio (el) | ufficio di consulenza | consultation | agony column | Seufzerspalte | consultorio |
| contacto (el) | contatto | contact | contact | Kontakt | contato |
| cortés | gentile | poli/-e | courteous | höflich | cortês |
| costarle | costare | avoir du mal à | to have difficulty in… | schwerfallen | custar |
| dedicar | dedicare | dédier | to dedicate | widmen | dedicar |
| deforestación (la) | deforestazione | déforestation | deforestation | Abholzung | desmatamento |
| demostrar | dimostrare | démontrer | to demonstrate | beweisen | demonstrar |
| deseo (el) | desiderio | désir, souhait | wish | Wunsch | desejo |
| desigualdad (la) | disuguaglianza | inégalité | inequality | Ungleichheit | desigualdade |
| difícil | difficile | difficile | difficult | schwierig | difícil |
| directo/a | diretto/a | direct/-e | direct | direkt | direto/a |
| disco (el) | disco | disque | record | Schallplatte | disco |
| ejemplo (el) | esempio | exemple | example | Beispiel | exemplo |
| encantar | affascinare, piacere | enchanter | to charm | erfreuen | encantar |
| enojarse | arrabbiarsi | se mettre en colère | to be annoyed | sich ärgern | aborrecer-se |
| enorme | enorme | énorme | enormous | enorm | enorme |
| entender | capire | comprendre | to understand | verstehen | entender |
| entrar | entrare | entrer | to enter | eintreten | entrar |
| entrevista (la) | intervista | entrevue | interview | Interview | entrevista |
| escoger | scegliere | choisir | to choose | auswählen | escolher |
| estricto/a | severo/a, rigido/a | stricte | strict | streng | estrito/a |
| estudiar | studiare | étudier | to study | studieren | estudar |
| éxito (el) | successo | succés | success | Erfolg | êxito |
| expresar | esprimere | exprimer | to express | ausdrücken | expressar |
| faltar | mancare | manquer | to be missing, yet to go | fehlen | faltar |
| famoso/a | famoso/a | célèbre | famous | berühmt | famoso/a |
| forma (la) | forma | forme | shape, way | Form | forma |
| gira (la) | tournée | tournée | tour | Tournee | turnê |
| grabar | incidere, registrare | enregistrer | to record | aufnehmen | gravar |
| gracioso/a | simpatico/a | drôle | amusing | witzig | engraçado/a |
| haber | avere | avoir | to have, there is/are | müssen | haver |
| incluir | includere | inclure | to include | einschließen | incluir |
| instituto (el) | liceo | lycée | institute | Institut | instituto |
| intentar | tentare | essayer | to try | versuchen | tentar |
| internacional | internazionale | international/-e | international | international | iternacional |
| interpretar | interpretare | interpréter | to interpret | interpretieren | interpretar |
| interrogativo/a | interrogativo/a | interrogatif/-ive | interrogative | fragend | interrogativo/a |
| invitar | invitare | inviter | to invite | einladen | convidar |
| ir | andare | aller | to go | gehen | ir |
| isla (la) | isola | île | island | Insel | ilha |
| latino/a | latino/a | latino | Latin | lateinisch | latino/a |
| limpio/a | pulito/a | propre | clean | Sauber | limpo/a |
| literatura (la) | letteratura | littérature | literature | Literatur | literatura |
| llevarse | andare (non) d'accordo | s'entendre | to get on with | sich vertragen | dar-se |
| marcharse | andarsene via | partir | to go away | weggehen | ir embora |
| mariscos (los) | frutti di mare | fruits de mer | seafood | Meeresfrüchte | frutos do mar |
| modelo (el) | indossatore/-trice | mannequin | model | Modell | modelo |
| nacer | nascere | naître | to be born | geboren werden | nascer |
| oficial | ufficiale | officiel/-elle | official | offiziell | oficial |
| ofrecer | offrire | offrir | to offer | anbieten | oferecer |
| olvidar | dimenticare | oublier | to forget | vergessen | esquecer |
| ordenado/a | ordinato/a | rangé/-e | orderly | geordnet | ordenado/a |
| pagar | pagare | payer | to pay | bezahlen | pagar |
| paradisíaco/a | paradisiaco/a | paradisiaque | heavenly | paradiesisch | paradisíaco/a |
| pasatiempos (los) | sezione enigmistica | passe-temps | pastimes | Freizeitbeschäftigungen | passatempos |
| pegadizo/a | orecchiabile | collant, qui accroche | catchy | klebrig | grudento/a |
| pequeño/a | piccolo/a | petit/-e | small | klein | pequeño/a |
| perdonar | perdonare | pardonner | to pardon | vergeben | perdoar |
| playa (la) | spiaggia | plage | beach | Strand | praia |
| polvo (el) | polvere | poussière | dust | Staub | pó |

| | | | | | |
|---|---|---|---|---|---|
| portugués/-a | portoghese | portugais/-e | Portuguese | portugiesisch | português/portuguesa |
| positivo/a | positivo/a | positif/-ve | positive | positiv | positivo/a |
| preferido/a | preferito/a | préféré/-e | preferred | bevorzugt | preferido/a |
| profesión (la) | professione | profession | profession | Beruf | profissão |
| publicar | pubblicare | publier | to publish | veröffentlichen | publicar |
| puerto (el) | porto | port | port | Hafen | porto |
| reacción (la) | reazione | réaction | reaction | Reaktion | reação |
| recibir | ricevere | recevoir | to receive | empfangen | receber |
| recoger | mettere a posto | ranger | to tidy up | aufräumen | recolher |
| reconciliarse | riconciliarsi | se réconcilier | to be reconciled | sich versöhnen | reconciliar-se |
| referirse | riferirsi | faire référence à | to refer to | sich beziehen auf | referir-se |
| regular | regolare | régulier | average, regular | regulieren | regular |
| reportaje (el) | reportage, servizio | reportage | report | Reportage | reportagem |
| ritmo (el) | ritmo | rythme | rhythm | Rhythmus | ritmo |
| señor/-a (el/la) | signore/a | monsieur/dame | gentleman, lady | Herr/Frau | señor |
| siguiente | prossimo | suivant | next | folgend | seguinte |
| solitario/a | solitario, introverso | solitaire | solitary | einsam | solitário/a |
| soñar | sognare | rêver | to dream | träumen | sonhar |
| tecnología (la) | tecnologia | technologie | technology | Technologie | tecnología |
| terminar | finire | terminer | to finish | beenden | terminar |
| tren (el) | treno | train | train | Zug | trem |
| varios/as | alcuni/e, diversi/e | plusieurs | several | verschiedene | vários/as |
| vender | vendere | vendre | to sell | verkaufen | vender |
| venir | venire, arrivare | venir | to come | kommen | vir |

## UNIDAD 3

| | | | | | |
|---|---|---|---|---|---|
| a pie | a piedi | à pied | on foot | zu Fuß | a pé |
| acampar | fare campeggio | camper | to camp | zelten | acampar |
| acción (la) | azione | action | action | Aktion | ação |
| actividad (la) | attività | activité | activity | Aktivität | atividade |
| aerosol (el) | aerosol | aérosol | aerosol | Aerosol | aerosol |
| águila imperial (el) | aquila imperiale | aigle impérial | Spanish imperial eagle | Kaiseradler | águia imperial |
| agujero (el) | buco | trou | hole | Loch | buraco |
| aire (el) | aria | air | air | Luft | ar |
| amenazado/a | minacciato/a | menacé/-e | endangered | bedroht | ameaçado/a |
| andar | camminare | marcher | to walk | gehen | andar |
| anidar | nidificare | nicher | to nest | nisten | fazer ninho |
| anterior | anteriore, precedente | antérieur | previous, front | vorig | anterior |
| anual | annuale | annuel | annual | jährlich | anual |
| aquí | qui | ici | here | hier | aqui |
| asociación (la) | associazione | association | association | Vereinigung | associação |
| atmósfera (la) | atmosfera | atmosphère | atmosphere | Atmosphäre | atmosfera |
| aumentar | aumentare | augmenter | to increase | erhöhen | aumentar |
| auto (el) | automobile | automobile | car | Auto | carro |
| ave (el) | uccello | oiseau | bird | Vogel | ave |
| ayer | ieri | hier | yesterday | gestern | ontem |
| barco (el) | nave | bateau | boat | Schiff | barco |
| basura (la) | spazzatura | ordures, poubelle | rubbish | Abfall | lixo |
| canal (el) | canale | canal | canal | Kanal | canal |
| capa de ozono (la) | fascia d'ozono | couche d'ozone | ozone layer | Ozonschicht | camada de ozônio |
| capital (la) | capitale | capitale | capital | Hauptstadt | capital |
| catástrofe (la) | catastrofe | catastrophe | catastrophe | Katastrophe | catástrofe |
| central hidroeléctrica (la) | centrale idroelettrica | centrale hydroélectrique | hydroelectric power station | Wasserkraftwerk | central hidroelétrica |
| cigüeña (la) | cicogna | cigogne | stork | Storch | cegonha |
| ciruela (la) | prugna | prune | plum | Pflaume | ameixa |
| climatológico/a | climatico/a | climatologique | climatological | klimatologisch | climatológico/a |
| colaborar | collaborare | collaborer | to collaborate | zusammenarbeiten | colaborar |
| comisario (el) | commisario | commissaire | commissioner | Kommisar | comissário |
| conciencia (la) | coscienza | conscience | conscience | Bewusstsein | consciência |
| concienciación (la) | sensibilizzare | prendre conscience | raising public awareness | Bewusstseinsbildung | concientização |
| condición (la) | condizione | condition | condition | Bedingung | condição |
| constante | costante | constant | constant | konstant | constante |
| contaminación (la) | inquinamento | pollution | contamination | Verschmutzung | cotaminação |
| contaminante | inquinante | polluant/-e | contaminant | verschmutzend | contaminante |
| contemplar | considerare | considérer | to contemplate | berücksichtigen | contemplar |
| contenedor (el) | cassonetto | container | container | Container | contêiner |
| conveniente | conveniente | convenable | advisable | angemessen | conveniente |
| correcto/a | corretto/a | correct/-e | correct | korrekt | correto/a |
| cuidar | fare attenzione, curare | soigner | to look after | schützen | cuidar |
| cumbre (la) | vertice | sommet | summit | Gipfel | cume |
| debate (el) | dibattito | débat | debate | Debatte | debate |
| decisión (la) | decisione | décision | decision | Entscheidung | decisão |
| defensa (la) | difesa | défense | defence | Verteidigung | defesa |
| democrático/a | democratico/a | démocratique | democratic | demokratisch | democrático/a |
| denso/a | denso/a | dense | dense | dicht | denso/a |
| desaparecer | scomparire | disparaître | to disappear | verschwinden | desaparecer |
| desarrollo sostenible (el) | sviluppo sostenibile | développement | sustainable development | nachhaltige Entwicklung | desenvolvimento sustentável |
| desierto (el) | deserto | désert | desert | Wüste | deserto |
| detergente (el) | detersivo | poudre à laver | detergent | Reinigungsmittel | detergente |
| diverso/a | diverso/a, differente | divers/-e | diverse | verschieden | diverso/a, diferente |
| duna (la) | duna | dune | dune | Düne | duna |
| durazno (el) | pesca | pêche | peach | Pfirsich | pêssego |
| echar | buttare | jeter | to throw | werfen | jogar |
| educar | educare | éduquer, élever | to educate | erziehen | educar |
| efecto invernadero (el) | effetto serra | effet de serre | greenhouse effect | Treibhauseffekt | inversão térmica |
| eléctrico/a | elettrico/a | électrique | electric | elektrisch | elétrico/a |
| emplear | impiegare | employer | to employ | benutzen | empregar |
| empuje (el) | spinta | poussée | push | Stoß | iniciativa |
| encender | accendere | allumer | to light | anzünden | acender |
| especial | speciale | spécial/-e | special | besonders | especial |
| especie (la) | specie | espèce | species | Art | espécie |
| esperanza (la) | speranza | espoir | hope | Hoffnung | esperança |
| europeo/a | europeo/a | européen/-èenne | European | europäisch | europeu/européia |
| exportar | esportare | exporter | to export | exportieren | exportar |
| extinción (la) | estinzione | extinction | extinction | Aussterben | extinção |
| fauna (la) | fauna | faune | fauna | Fauna | fauna |
| folleto (el) | opuscolo | brochure | leaflet | Broschüre | folheto |
| fomentar | promuovere | favoriser, développer | to encourage | fördern | fomentar, promover |
| forestal | forestale, boschivo | forestier | forest | forstlich | florestal |
| formación (la) | formazione | formation | training | Bildung | formação |
| fuego (el) | fuoco | feu | fire | Feuer | fogo |
| fundamental | fondamentale | essentiel/-le | fundamental | grundlegend | fundamental |
| gamo (el) | daino | daim | buck | Damhirsch | gamo |
| gas (el) | gas | gaz | gas | Gas | gás |
| gente (la) | gente | gens | people | Leute | gente |
| gobierno (el) | governo | gouvernement | government | Regierung | governo |
| grado (el) | grado | degré | degree | Grad | grau |
| guía (el/la) | guida | guide | guide | Reiseführer/Reiseführerin | guia |
| habitante (el/la) | abitante | habitant/-e | inhabitant | Einwohner/Einwohnerin | habitante |
| hectárea (la) | ettaro | hectare | hectare | Hektar | hectar |
| ibérico/a | iberico/a | ibérique | Iberian | iberisch | ibérico |
| idea (la) | idea | idée | idea | Idee | idéia |
| ignorancia (la) | ignoranza | ignorance | ignorance | Unwissenheit | ignorância |

| | | | | | |
|---|---|---|---|---|---|
| incendio (el) | incendio | incendie | fire | Brand | incêndio |
| inferioridad (la) | inferiorità | infériorité | inferiority | Unterlegenheit | inferioridade |
| informarse | informarsi | s'informer | to find out | sich informieren | informar-se |
| interesante | interessante | interessant/-e | interesting | interessant | iteressante |
| invernar | ibernare | hiverner | to hibernate | überwintern | hivernar |
| jabalí (el) | cinghiale | sanglier | boar | Wildschwein | javali |
| labor (la) | lavoro, opera | travail, devoir | duty, job | Aufgabe | trabalho |
| laguna (la) | laguna | lagune | pool | Lagune | lagoa |
| lince (el) | lince | linx | lynx | Luchs | lince |
| marisma (la) | maremma | marais | marsh | Marschland | manguesal |
| menor | minore | plus petit | smaller, lesser | kleiner | menor |
| metro (el) | metropolitana | metro | metre | U-Bahn | metrô |
| migratorio/a | migratorio/a | migratoire | migratory | Wanderungs- | migratório/a |
| monitor/-a (el/la) | istruttore/-trice | moniteur/-trice | instructor | Ausbilder/Ausbilderin | monitor |
| mostrar | mostrare, far vedere | montrer | to show | zeigen | mostrar |
| moverse | muoversi | bouger | to move | sich bewegen | mover-se |
| movimiento (el) | movimento | mouvement | movement | Bewegung | movimento |
| natural | naturale | naturel/-elle | natural | natürlich | natural |
| navegable | navigabile | navigable | navigable | schiffbar | navegável |
| notable | notevole | bien | notable | bemerkenswert | notável |
| obligación (la) | obbligo | obligation | obligation | Verpflichtung | obrigação |
| oceánico/a | oceanico/a | océanique | oceanic | ozeanisch | oceánico/a |
| oportunidad (la) | opportunità | opportunité | opportunity | Gelegenheit | oportunidade |
| oriental | orientale | oriental/-e | easterly | östlich | oriental |
| papel (el) | carta | papier | paper | Papier | papel |
| parte (la) | parte | partie | part | Teil | parte |
| particular | privato, particolare | particulier | particular | besonders | particular |
| peligro (el) | pericolo | danger | danger | Gefahr | perigo |
| pico (el) | cima | pic | peak | Spitze | pico |
| pila (la) | pila, batteria | pile | battery | Batterie | pilha |
| poblado/a | popolato/a | peuplé/-e | populated | bewohnt | povoado/a |
| postal (la) | cartolina | carte postale | postcard | Postkarte | postal |
| precio (el) | prezzo | prix | price | Preis | preço |
| prismáticos (los) | binoloco | jumelles | binoculars | Fernglas | binóculos |
| privado/a | privato/a | privé/-e | private | privat | privado/a |
| productor/-a | produttore/-trice | producteur/-trice | producer | Produktions- | produtor/a |
| prohibir | vietare, proibire | interdire | to prohibit | verbieten | proibir |
| proponer | proporre | proposer | to propose | vorschlagen | propor |
| racional | razionale | raisonnable | rational | rational | racional |
| rápido/a | veloce | rapide | fast | schnell | rápido/a |
| razón (la) | ragione | raison | reason | Vernunft | razão |
| reciclar | riciclare | recycler | to recycle | wiederverwerten | reciclar |
| recomendar | consigliare | conseiller | to recommend | empfehlen | recomendar |
| reducir | ridurre | réduire | to reduce | verringern | reduzir |
| referencia (la) | riferimento | référence | reference | Hinweis | referência |
| reservar | prenotare | réserver | to reserve | reservieren | reservar |
| ruta (la) | itinerario, percorso | route | route | Weg | estrada |
| salto (el) | salto, cascata | saut | waterfall | Wasserfall | salto |
| salvaje | selvaggio | sauvage | wild | wild | selvagem |
| seco/a | secco/a | sec/sèche | dry | trocken | seco/a |
| secretario/a (el/la) | segretario/a | secrétaire | secretary | Sekretär/Sekretärin | secretário |
| señalado/a | indicato/a | signalé/-e | indicated; notable | berühmt | sinalizado/a |
| sumar | sommare | additioner | to add up | addieren | somar |
| superior | superiore | supérieur | superior, upper | höher | superior |
| superlativo/a | superlativo | superlatif/-ive | superlative | überragend | sperlativo/a |
| tamaño (el) | dimensione | taille | size | Größe | tamanho |
| tirar | gettare, buttare | jeter | to throw out | ziehen | tirar |
| tradición (la) | tradizione | tradition | tradition | Tradition | tradição |
| tráfico (el) | traffico | circulation | traffic | Verkehr | tráfico |
| transporte (el) | trasporto | transport | transport | Transport | transporte |
| unir | unire | unir | to join | verbinden | unir |
| urgente | urgente | urgent/-e | urgent | dringend | urgente |
| usual | usuale, abituale | usuel/-elle | usual | gewöhnlich | usual |
| vehículo (el) | veicolo | véhicule | vehicle | Fahrzeug | veículo |
| vidrio (el) | vetro | verre | glass | Glas | vidro |
| viento (el) | vento | vent | wind | Wind | vento |
| zona (la) | zona | zone | area | Bereich | zona |
| zoo (el) | giardino zoologico | zoo | zoo | Tierpark | zoológico |

**UNIDAD 4**

| | | | | | |
|---|---|---|---|---|---|
| acontecimiento (el) | fatto, avvenimento | événement | event | Ereignis | acontecimento |
| admitir | ammettere | admettre | to admit | zugeben | admitir |
| afirmativo/a | affermativo/a | affirmatif/-ive | affirmative | bejahend | afirmativo/a |
| agricultura (la) | agricoltura | agriculture | agriculture | Landwirtschaft | agricultura |
| aldea (la) | villaggio | village, hameau | village | Dorf | aldeia |
| alejado/a | lontano/a | éloigné/-e | distant | abgelegen | afastado/a |
| alojamiento (el) | alloggio, sistemazione | logement | accommodation | Unterkunft | alojamento |
| animar | spingere, incoraggiare | animer | to encourage | ermutigen, sich entschließen | animar |
| argumentar | argomentare | argumenter | to argue | argumentieren | argumentar |
| asiento (el) | posto | siège | seat | Sitz | assento |
| atractivo/a | attraente | attrayant/-e | attractive | attraktiv | atrativo/a |
| atraer | attrarre | attirer | to attract | anziehen | atrair |
| audición (la) | audizione, ascolto | audition | audition | Aufnahme | audição |
| autobús (el) | autobus, pullman | autobus | bus | Bus | ônibus |
| autor/-a (el/la) | autore/-trice | auteur | author; perpetrator | Autor/Autorin | autor |
| banco (el) | panchina | banc | bench | Bank | banco |
| biblioteca (la) | biblioteca | bibliothèque | library | Bibliothek | biblioteca |
| cafetería (la) | caffetteria | cafétéria | cafeteria | Cafeteria | bar |
| calidad (la) | qualità | qualité | quality | Qualität | qualidade |
| capaz | capace | capable | capable | fähig | capaz |
| cardiovascular | cardiovascolare | cardiovasculaire | cardiovascular | Herzkreislauf- | cardiovascular |
| causar | causare, provocare | causer, provoquer | to cause | hervorrufen | causar |
| circunstancia (la) | circostanza | circonstance | circumstance | Umstand | circunstância |
| comunicar | comunicare | communiquer | to communicate | mitteilen | comunicar |
| consumir | consumare | consommer | to consume | verbrauchen | consumir |
| contactar | contattare | contacter, joindre | to contact | Kontakt aufnehmen | contatar |
| continente (el) | continente | continent | continent | Kontinent | continente |
| contraste (el) | contrasto | contraste | contrast | Kontrast | contraste |
| costumbre (la) | abitudine | coutume | custom | Gewohnheit | costume |
| crimen (el) | delitto | crime | crime | Verbrechen | crime |
| cultura (la) | cultura | culture | culture | Kultur | cultura |
| decorar | decorare, arredare | décorer | to decorate | schmücken | decorar |
| desarrollar | sviluppare | développer | to develop | entwickeln | desenvolver |
| discriminación (la) | discriminazione | discrimination | discrimination | Diskriminierung | discriminação |
| disminuir | diminuire, ridurre | diminuer | to diminish | verringern | diminuir |
| disturbio (el) | agitazione | troubles | disturbance | Unruhe | distúrbio |
| durar | durare | durer | to last | dauern | durar |
| encarar | affrontare | faire face | to face up to | gegenübertreten | encarar |
| escolar | scolastico | scolaire | school | schulisch | escolar |
| exactitud (la) | esattezza | exactitude | accuracy | Exaktheit | exatidão |
| experiencia (la) | esperienza | expérience | experience | Erfahrung | experiência |
| explicar | spiegare | expliquer | to explain | erklären | explicar |
| extranjero/a | estero/a | étranger/-ère | foreign, abroad | ausländisch | estrangeiro/a |

| | | | | | |
|---|---|---|---|---|---|
| fabricar | fabbricare | fabriquer | to manufacture | herstellen | fabricar |
| fin (el) | fine | fin | end | Ende | fim |
| final (el) | fine | fin | end | Ende | final |
| frecuente | frequente | fréquent/-e | frequent | häufig | frequente |
| fuerte | forte | fort/-e | strong | stark | forte |
| geográfico/a | geografico | géographique | geographical | geografisch | geográfico/a |
| hoy | oggi | aujourd'hui | today | heute | hoje |
| idioma (el) | idioma, lingua | langue vivante | language | Sprache | idioma |
| incuestionable | indiscutibile | indiscutable | unquestionable | unbestreitbar | inquestionável |
| indio/a (el/la) | indio/a | indien/-enne | Indian | Indianer | índio |
| información (la) | informazione | information | information | Information | informação |
| intensivo/a | intensivo/a | intensif/-ive | intensive | intensiv | intensivo/a |
| intenso/a | intenso/a | intense | intense | heftig | intenso/a |
| intercambio (el) | scambio | échange | exchange | Austausch | intercâmbio |
| introducción (la) | introduzione | introduction | introduction | Einführung | introdução |
| irse | andarsene | s'en aller | to go away | gehen | ir embora |
| lastimar | fare male | abîmer | to hurt | verletzen | lastimar |
| lejos | lontano | loin | far | weit | longe |
| lengua (la) | lingua | langue | language | Zunge | língua |
| libre | libero | libre | free | frei | livre |
| lingüístico/a | linguistico/a | linguistique | linguistic | linguistisch | linguístico/a |
| llave (la) | chiave | clé | key | Schlüssel | chave |
| lluvia (la) | pioggia | pluie | rain | Regen | chuva |
| maletín (el) | valigetta | malette | briefcase | Handkoffer | maleta |
| minuto (el) | minuto | minute | minute | Minute | minuto |
| nativo/a | nativo/a | natif/-ive | native | muttersprachig | nativo/a |
| negativo/a | negativo/a | négatif/-ive | negative | negativ | negativo/a |
| niño/a (el/la) | bimbo/a | enfant | child | Kind | menino |
| ocasión (la) | occasione | occasion | occasion | Gelegenheit | ocasião |
| ocurrir | succedere | arriver | to occur | sich ereignen, einfallen | ocorrer |
| ómnibus (el) | autobus | omnibus | bus | Bus | ônibus |
| pedagógico/a | pedagogico/a | pédagogique | pedagogical | pedagogisch | pedagógico/a |
| peor | peggio, peggiore | pire | worse | schlechter | pior |
| periferia (la) | periferia | périphérie | periphery | Peripherie | periferia |
| perjuicio (el) | danno | tort | harm | Schaden | prejuízo |
| pizarra (la) | lavagna | tableau | slate | Tafel | lousa, quadro negro |
| población (la) | popolazione | population | population | Bevölkerung | população |
| popular | popolare | populaire | popular | populär | popular |
| preconcebido/a | preconcetto/a | préconçu/-e | preconceived | vorbedacht | preconcebido/a |
| prejuicio (el) | pregiudizio | préjudice | harm | Vorurteil | preconceito |
| previo/a | previo/a | préalable | previous | vorherig | prévio/a |
| principio (el) | inizio, principio | début | principle | Anfang | princípio |
| producir | produrre | produire | to produce | herstellen | produzir |
| propio/a | proprio/a | propre | own; typical | eigen | próprio/a |
| provocar | provocare | provoquer | to provoke; cause | hervorrufen | provocar |
| querido/a | caro/a | cher/chère | dear | liebe/lieber | querido/a |
| racial | razziale | racial/-e | racial | rassisch | racial |
| radio (la) | radio | radio | radio | Radio | rádio |
| redondo/a | rotondo/a | rond/-e | round | rund | redondo/a |
| regresar | ritornare | revenir, retourner | to return | zurückkehren | regressar |
| repetir | ripetere | répéter | to repeat | wiederholen | repetir |
| resguardar | proteggere | abriter | to protect | schützen | resguardar |
| resto (el) | resto | reste | rest | Rest | resto |
| ritual (el) | rituale | rituel | ritual | Ritual | ritual |
| sagrado/a | sacro/a | sacré/-e | sacred | heilig | sagrado/a |
| sala (la) | sala | salle | room | Saal | sala |
| situación (la) | situazione | situation | situation | Situation | situação |
| solicitud (la) | richiesta | sollicitude | request | Antrag | solicitude |
| sordez (la) | sordità | surdité | deafness | Taubheit | surdez |
| sucio/a | sporco/a | sale | dirty | schmutzig | sujo/a |
| suerte (la) | fortuna | sort, chance | luck | Glück | sorte |
| suficiente | sufficiente | suffisant/-e | sufficient | ausreichend | suficiente |
| supersónico/a | supersonico/a, velocissimo/a | supersonique | supersonic | Überschall- | supersônico/a |
| traducción (la) | traduzione | traduction | translation | Übersetzung | tradução |
| transmitir | trasmettere | transmettre | to transmit | übermitteln | transmitir |
| turno (el) | turno | tour | turn | Reihenfolge | turno(o) |
| vez (la) | volta, turno | tour | time | Mal | vez |

| **UNIDAD 5** | **UNIDAD 5** | **UNIDAD 5** | **UNIDAD 5** | **UNIDAD 5** | **UNIDAD 5** |
|---|---|---|---|---|---|
| adhesivo/a | adesivo/a | adhésif/-ive | adhesive | klebend | adesivo/a |
| adorno (el) | ornamento, decorazione | décoration | adornment | Schmuck | adorno |
| alemán/-a | tedesco/a | allemand/-e | German | deutsch | alemão/alemã |
| alimento (el) | alimento, cibo | aliment | food | Nahrung | alimento |
| alquilar | affittare | louer | to hire | mieten | alugar |
| aparato (el) | apparecchio | appareil | appliance | Gerät | aparelho |
| aparecer | apparire | apparaître | to appear | erscheinen | aparecer |
| batería (la) | batteria | batterie | battery | Batterie | bateria |
| blando/a | morbido/a, soffice | mou/molle | soft | weich | mole |
| borrar | cancellare | effacer | to erase | ausradieren | apagar |
| brújula (la) | bussola | boussole | compass | Kompass | bússola |
| cacerola (la) | pentola | casserole | pan | Kochtopf | caçarola, panela |
| caja (la) | cassa, scatola | caisse, boîte | box | Schachtel | caixa |
| calculadora (la) | calcolatrice | calculatrice | calculator | Taschenrechner | calculadora |
| calendario (el) | calendario | calendrier | calendar | Kalender | calendário |
| cámara (la) | macchina | appareil, caméra | camera | Kamera | câmara |
| cartón (el) | cartone | carton | carton | Pappe | papelão |
| celo (el) | nastro adesivo | ruban adhésif | sticky tape | Klebstreifen | celofane |
| centímetro (el) | centimetro | centimètre | centimetre | Zentimeter | centímetro |
| cerca | vicino | près | near | nahe | perto |
| cerilla (la) | fiammifero | allumette | match | Streichholz | fósforo |
| computadora (la) | computer | ordinateur | computer | Computer | computador |
| conectado/a | connesso/a | branché/-e | connected | verbunden | conectado/a |
| conservar | conservare | conserver | to preserve | aufbewahren | conservar |
| conversación (la) | conversazione | conversation | conversation | Gespräch | conversa |
| creación (la) | creazione | création | creation | Schöpfung | criação |
| cristal (el) | vetro, cristallo | le verre | glass | Glas | cristal |
| cuadro (el) | quadro | cadre | picture | Gemälde | quadro |
| curar | curare, guarire | soigner | to cure | heilen | curar |
| departamento (el) | appartamento | appartement | department | Abteilung | apartamento |
| despacio | piano | doucement | slow(ly) | langsam | devagar |
| diccionario (el) | dizionario | dictionnaire | dictionary | Wörterbuch | dicionário |
| duro/a | duro/a | dur/-e | hard | hart | duro/a |
| electricidad (la) | elettricità | électricité | electricity | Elektrizität | eletricidade |
| enviar | inviare, spedire | envoyer | to send | schicken | enviar |
| escapar | scappare | échapper | to escape | entkommen | escapar |
| escocés/-a | scozzese | écossais/-e | Scottish | schottisch | escocês/escocesa |
| estuche (el) | astuccio | étui, trousses | case | Etui | estojo |
| explosión (la) | esplosione | explosion | explosion | Explosion | explosão |
| fila (la) | fila | file, rangée | row | Reihe | fila |
| fino/a | sottile, fine | fin/-e | thin | dünn | fino/a |
| flor (la) | fiore | fleur | flower | Blume | flor |
| frágil | fragile | fragile | fragile | zerbrechlich | frágil |
| frío (el) | freddo | froid | cold | Kälte | frio |

| | | | | | |
|---|---|---|---|---|---|
| funcionar | funzionare | fonctionner | to work | funktionieren | funcionar |
| gasolina (la) | benzina | essence | petrol | Benzin | gasolina |
| gracias (las) | grazie | remerciements | thanks | Dank | obrigado/a |
| grueso/a | grosso/a | épais/-se | thick | dick | grosso/a |
| herramienta (la) | attrezzo, utensile | outil | tool | Werkzeug | ferramenta |
| hombre (el) | uomo | homme | man | Mann | homem |
| idear | ideare | penser, imaginer | to devise | ersinnen | bolar, idealizar |
| impersonal | impersonale | impersonnel | impersonal | unpersönlich | impessoal |
| imprenta (la) | stampa | imprimerie | printing press | Buchdruck | imprensa |
| inmueble (el) | immobile | immeuble | building, property | Immobilie | imóvel |
| instrumento (el) | strumento, attrezzo | instrument | instrument | Instrument | instrumento |
| inventar | inventare | inventer | to invent | erfinden | inventar |
| irregular | irregolare | irrégulier | irregular | unregelmäßig | irregular |
| italiano/a | italiano/a | italien/-ne | Italian | italienisch | italiano/a |
| jabón | sapone | savon | soap | Seife | sabonete |
| juguete | giocattolo | jouet | toy | Spielzeug | brinquedo |
| lento/a | lento/a | lent/-e | slow | langsam | lento/a |
| ligero/a | leggero/a | léger/-ère | light | leicht | ligeiro/a |
| luz (la) | luce | lumière | light | Licht | luz |
| madera (la) | legno | bois | wood | Holz | madeira |
| mandar | inviare | envoyer | to send | schicken | mandar |
| máquina (la) | macchina, apparecchio | machine | machine | Maschine | máquina |
| medicamento (el) | medicinale | médicament | medicine | Medikament | medicamento |
| medir | misurare | mesurer | to measure | messen | medir |
| metal (el) | metallo | métal | metal | Metall | metal |
| microscopio (el) | microscopio | microscope | microscope | Mikroskop | microscópio |
| motor (el) | motore | moteur | motor | Motor | motor |
| nacionalizar | nazionalizzare | nationaliser | to naturalise, nationalise | verstaatlichen | nacionalizar |
| nota (la) | nota, voto, annotazione | note | marks | Mitteilung, Abstimmung, Note | nota |
| objeto (el) | oggetto | objet | object | Gegenstand | objeto |
| original | originale | original | original | original | original |
| pantalla (la) | schermo | écran | screen | Bildschirm | tela |
| pasivo/a | passivo/a | passif/-ive | passive | passiv | passivo/a |
| pegar | attaccare, incollare | coller | to stick together | kleben | pegar |
| permanecer | rimanere | rester | to remain | bleiben | permanecer |
| permitir | permettere | permettre | to allow | erlauben | permitir |
| pesado/a | pesante | lourd/-e | heavy | schwer | pesado/a |
| plástico (el) | plastica | plastique | plastic | Plastik | plástico |
| plegable | pieghevole | pliable | folding | klappbar | dobrável |
| prenda (la) | capo | vêtement, gage | garment | Kleidungsstück | prenda |
| prometer | promettere | promettre | to promise | versprechen | prometer |
| protegerse | proteggersi | se protéger | to protect oneself | sich schützen | proteger-se |
| puntiagudo/a | appuntito/a, aguzzo/a | pointu/-e | pointed | spitz | pontiagudo/a |
| rectangular | rettangolare | rectangulaire | rectangular | rechtwinklig | retangular |
| reflexivo/a | riflessivo/a | réflexif | reflexive | nachdenklich | reflexivo/a |
| retratar | ritrarre | faire le portrait de | to portray | porträtieren | retratar |
| romper | rompere | casser | to break | brechen | quebrar |
| rueda (la) | ruota | roue | wheel | Rad | roda |
| rugoso/a | rugoso/a, grinzoso/a | rugueux/-euse | rough | rau | enrugado/a |
| salvar | salvare | sauver | to save | retten | salvar |
| sencillo/a | semplice | simple | simple | einfach | simples |
| signo (el) | segno | signe | sign | Zeichen | signo |
| silencioso/a | silenzioso/a | silencieux/-se | silent | leise | silencioso/a |
| suave | morbido/a | doux/-ce | soft | weich | suave |
| tarjeta (la) | biglietto, scheda | carte, bristol | card | Karte | cartão |
| tecla (la) | tasto | touche | key | Taste | tecla |
| tela (la) | tessuto, stoffa | toile | cloth | Stoff | tela |
| teléfono (el) | telefono | téléphone | telephone | Telefon | telefone |
| temprano | presto | tôt | early | früh | cedo |
| toalla (la) | asciugamano | serviette | towel | Handtuch | toalha |
| transparente | trasparente | transparent | transparent | durchsichtig | transparente |
| utensilio (el) | utensile, attrezzo | ustensile | utensil | Gerät | utensílio |
| utilidad (la) | utilità | utilité | usefulness | Nützlichkeit | utilidade |

## UNIDAD 6

| | | | | | |
|---|---|---|---|---|---|
| acero (el) | acciaio | acier | steel | Stahl | aço |
| administrar | amministrare | administrer | to administer | verwalten | administrar |
| aeronáutico/a | aeronautico/a | aéronautique | aeronautical | Luftfahrt- | aeronáutico/a |
| afición (la) | hobby, inclinazione | hobby | hobby | Hobby | afeição |
| ahorrar | risparmiare | économiser | to save | sparen | poupar, guardar |
| ala delta (la) | deltaplano | delta plane | hang glider | Hängegleiter | asa delta |
| apagar | spegnere | éteindre | to switch off | ausschalten | apagar |
| apasionar | fare impazzire | se passionner | to be mad about | begeistern | apaixonar |
| arco (el) | arco | arc | bow | Bogen | arco |
| atasco (el) | ingorgo | embouteillage | traffic jam | Stau | congestionamento |
| barrer | spazzare | balayer | to sweep | kehren | varrer |
| basurero/a (el/la) | spazzino, discarica | déchetterie | dustman | Müllwerker/Müllwerkerin | lixeira |
| buceo (el) | immersione | plongée sous-marine | diving | Tauchen | mergulho |
| característica (la) | caratteristica | caractéristique | characteristic | Merkmal | característica |
| carretera (la) | strada | route | road | Straße | estrada |
| celular (el) | cellulare | mobile | mobile telephone | Handy | celular |
| cerámica (la) | ceramica | céramique | ceramic | Keramik | cerâmica |
| civil | civico, civile | civil | civil | zivil | civil |
| claro/a | chiaro/a | clair/-e | light | hell | claro/a |
| cometer | commettere | commettre | to commit | begehen | cometer |
| componer | comporre, formare | composer | to compose | zusammensetzen | compor |
| compuesto/a | composto/a | former de, par | composed | zusammengesetzt | composto/a |
| concursante (el/la) | concorrente | concurrent | competitor | Teilnehmer/Teilnehmerin | concursante |
| construir | costruire | construire | to construct | bauen | construir |
| contener | contenere | contenir | to contain | enthalten | conter |
| criterio (el) | criterio | critère | criterion | Kriterium | critério |
| cubrir | coprire | couvrir | to cover | bedecken | cobrir |
| cuero (el) | cuoio | cuir | leather | Leder | couro |
| dato (el) | dato | information | piece of information | Angabe | dato |
| definición (la) | definizione | définition | definition | Definition | definição |
| desear | desiderare | désirer | to wish | wünschen | desejar |
| economizar | economizzare | économiser | to economise | einsparen | economizar |
| ejército (el) | esercito | armée | army | Armee | exército |
| electrónico/a | elettronico/a | électronique | electronic | elektronisch | eletrônico/a |
| entregar | consegnare | remettre | to deliver | übergeben | entregar |
| escalera (la) | scala | escalier | staircase | Treppe | escada |
| estación espacial (la) | stazione spaziale | station spatiale | space station | Raumstation | estação espacial |
| estado federal (el) | stato federale | état fédéral | federal state | Bundesstaat | Estado federal, federação |
| estructura (la) | struttura | structure | structure | Struktur | estrutura |
| evaluación (la) | valutazione | évaluation | evaluation | Bewertung | avaliação |
| evitar | evitare | éviter | to avoid | vermeiden | evitar |
| exacto/a | esatto/a | exact | exact | genau | exato/a |
| explorar | esplorare | explorer | to explore | erforschen | explorar |
| ficha (la) | scheda | fiche | counter, record card | Karteikarte, Spielstein | ficha |
| fondo (el) | fondo | fond | bottom | Boden | fundo |
| frontera (la) | frontiera | frontière | frontier | Grenze | fronteira |
| ganador/-a (el/la) | vincitore/-trice | gagnant/-e, vainqueur | winner | Sieger/Siegerin | ganhador |
| gastar | spendere | dépenser | to spend | ausgeben | gastar |